LE KAMA SOUTRA

LE
KAMA SOUTRA

DE
VATSYAYANA

MANUEL D'ÉROTOLOGIE HINDOUE

RÉDIGÉ EN SANSCRIT
VERS LE 5ᵉ SIÈCLE DE L'ÈRE CHRÉTIENNE

TRADUIT SUR LA 1ʳᵉ VERSION ANGLAISE
(BÉNARÈS 1883) PAR ISIDORE LISEUX

FRANCE LOISIRS
123, boulevard de Grenelle — PARIS

© France Loisirs, 1979

ISBN 2-7242-0482-4

INTRODUCTION

" *Après avoir lu et médité les ouvrages de Babharavya et d'autres anciens auteurs, et bien examiné le sens des règles par eux édictées, Vatsyayana a composé les Kama Soutra, conformément aux préceptes de la Sainte Ecriture pour le bénéfice du monde alors qu'il menait la vie d'un étudiant religieux et qu'il était totalement absorbé dans la contemplation de la Divinité.* "

Les Kama Soutra (Aphorismes sur l'Amour), rédigés par un Brahmane, Mallinaga Vatsyayana au IIIe ou IVe siècle, sont une reprise et un résumé des enseignements pratiques des textes sacrés hindous. " *C'est une version magistrale, dit Zimmer, mais très condensée et par trop abrégée, des matériaux fournis par l'ancienne tradition.* "

Le livre s'ouvre sur une salutation à Çiva, Dharma, Artha et, bien sûr, à Kama.

I. ÇIVA-DHARMA, ARTHA ET KAMA.

Il est nécessaire de situer ces dieux pour mieux comprendre le contexte des Kama Soutra.

— ÇIVA : " *Au commencement, le Seigneur des Etres créa les hommes et les femmes et sous forme de commandements en cent mille chapitres, traça les règles de leur existence par rapport à Dharma, Artha et Kama.* " *Le Seigneur des Etres est Çiva. On le représente habituellement avec des bras multiples ; dieu ambivalent, il rythma aussi bien la création que la destruction des mondes.* " *Au commencement* ", *Çiva crée les hommes et les femmes ; il les différencie. Mais les différencie-t-il à son image ? On sait que dans le tantrisme — on désigne par ce terme le courant qui, aux premiers siècles de l'ère chrétienne, étend et développe les enseignements traditionnels contenus dans les Veda — Çiva est associé à Çakti, déesse aux formes et aux épiphanies variées, lumineuses et obscures. Ce couple divin, que l'on retrouve dans de nombreuses mythologies, et notamment en Grèce, correspond, explique J. Evola, " aux deux aspects essentiels de tout prin-*

cipe cosmique, le dieu masculin figurant l'aspect immuable, la divinité féminine au contraire l'énergie, la puissance qui agit dans la manifestation, et, par là, l'aspect immanent aussi, en un certain sens " (*in* Le Yoga tantrique, *Fayard, p. 17*).

A l'image divine, hommes et femmes sont donc différenciés. Il en est d'ailleurs de même pour les dieux.

— DHARMA : *" Dharma est l'obéissance au commandement des Shastra ou Ecriture Sainte des Hindous, de faire certaines choses telles que des sacrifices, lesquelles ne sont pas généralement faites, parce qu'elles n'appartiennent pas à ce monde et ne produisent pas d'effet visible ; et de ne pas faire d'autres choses, comme de manger de la viande, ce qui se fait souvent parce que cela est de ce monde et a des effets visibles. "*

Dharma régit à la fois les choses du monde visible et celles du monde invisible ; il énonce des règles, lesquelles résultent de notre conditionnement, de notre finitude, de notre être. Aussi Dharma peut désigner la nature propre d'un être, ce qui le définit, le particularise. Mais la notion de Dharma n'est pas déterministe. Il est possible de l'outrepasser, de s'y opposer, mais ce n'est pas sans conséquences. Ainsi, il est toujours possible de manger un aliment nuisible à l'organisme ; de même, il est possible à

tout homme d'entrer dans un harem, mais dit Vatsyayana, " il fera mieux de renoncer... " ; " Si cependant il veut y entrer ", ajoute Vatsyayana ; et il le
conseille...

— ARTHA : " *Artha est l'acquisition des arts, terre,
or, bétail, richesse, équipages et amis. C'est en
outre, la protection de ce qui est acquis et l'accroissement de ce qui est protégé.* " Artha est le dieu, le
principe du déploiement et de la conservation de la
vie. Il unit, rassemble, pourrait-on dire, art et vérité :
l'art du commerce, celui des négociants, celui des
amoureux ; mais aussi la vérité — au sens de protection — d'un peuple, d'un bétail, d'une ville, d'un
couple, etc.

— KAMA : " *Kama est la jouissance d'objets
appropriés, par les cinq sens de l'ouïe, du toucher,
de la vue, du goût et de l'odorat, assistés de l'esprit
uni à l'âme. Le point essentiel en ceci est un contact
spécial entre l'organe du sens et son objet, et la
conscience du plaisir qui en résulte s'appelle
Kama.* " On raconte que Kama fut réduit en cendres
par Çiva, alors qu'il tentait d'inspirer à ce dernier
de l'amour pour la déesse Pârvatî. Mais Rati obtint
du dieu qu'il fasse revenir l'esprit de Kama. Depuis,
Kama est " Kama-Ananga ", " celui qui est sans
corps ". Ainsi le dieu de l'amour est un dieu sans
corps, et pourtant il préside aux unions. C'est même

son absence corporelle qui lui permet d'inspirer les amants sans être vu. Il est le tiers invisible qui unit et/ou sépare hommes et femmes. Mais la jouissance, quant à elle, n'est pas invisible ; elle est obtenue par les cinq sens et consiste en un contact approprié entre " l'organe du sens et son objet ", peu importe d'ailleurs l'objet : il peut s'agir d'une femme, d'un homme certes, mais aussi bien de la chasse, d'une boisson, d'un jeu, d'une idée même. Mais, semble dire Vatsyayana, quel que soit l'objet visé, l'amour résulte toujours " de la perception d'objets extérieurs ", d'une perception visible donc.

On voit que les dieux sont inséparables et Vatsyayana ne cesse de le répéter : " L'homme, dont la période de vie est de cent années, doit pratiquer Dharma, Artha et Kama à différentes époques, et de telle manière qu'ils puissent s'harmoniser entre eux sans le moindre désaccord. " Ou encore : les plaisirs sont " les résultats de Dharma et d'Artha " et " tout acte qui conduit à la pratique de Dharma, Artha et Kama réunis, ou de deux, ou même d'un seul, doit être exécuté ; mais il faut s'abstenir d'un acte qui conduirait à la pratique d'un seul aux dépens des deux autres ".

II. *L'AMOUR S'ENSEIGNE-T-IL ?*

Après avoir salué les dieux, Vatsyayana énonce quelques-unes des objections que l'on pourrait faire aux Kama Soutra, et notamment celle-ci : " ... Kama, étant une chose pratiquée même par la création brute et qui se voit partout, n'a aucunement besoin d'un livre pour l'enseigner ".

L'objection est claire : l'amour ne s'enseigne pas, car c'est une chose qui est PRATIQUÉE *par* CHACUN — *en tant qu'être créé, qu'il soit animal, homme ou femme. Mais, répond Vatsyayana, l'objection n'est pas exacte, et ce, pour trois raisons :*

1. Si " la créature brute " — l'animal — n'applique pas de règles, c'est qu'elle n'a pas " d'entraves ", pas de " dharma " pourrait-on dire. La créature brute n'outrepasse rien ; elle n'en a pas la POSSIBILITÉ. *Ou mieux : ses limites sont fixées, déterminées une fois pour toutes et ne sont pas son fait : ainsi, dit Vatsyayana, les " femelles ne sont propres au commerce sexuel qu'à certaines saisons, sans plus ". Aussi, ajoute-t-il, " leur rapprochement n'est précédé d'aucune sorte de pensée ".*

2. Par contre, pour l'homme et pour la femme, le " rapprochement " sexuel est un commerce — sous le règne d'Artha donc — qui dépend d'eux et non des saisons ; quelquefois les Kama Soutra parlent de " querelle " amoureuse pour désigner ce commerce. Et ce qui s'échange, ce sont des " entraves ", des limites et des pensées, des idées, des imaginations et aussi, des perceptions. Kama est donc aussi l'affaire d'Artha et de Dharma, puisqu'il y va du " dharma " de l'homme et de la femme, de leur nature propre.

3. Enfin, il est vrai, reconnaît Vatsyayana, que la chose amoureuse est pratiquée par chacun et chacune, au même titre que " les conducteurs de chevaux et d'éléphants (qui) entraînent ces animaux sans connaître la science de l'entraînement, mais uniquement par la pratique " ou que les " Yadnikas ou sacrificateurs (qui), quoique ignorants de la grammaire, emploient des mots appropriés en s'adressant aux différentes Divinités, et ne savent pas comment ces mots s'écrivent ".

La PRATIQUE *amoureuse est connue et partagée ; c'est, en termes platoniciens, une " opinion droite ", un savoir qui se détermine et s'exerce de manière juste et judicieuse, mais aussi de manière in-consciente : " quelques-uns seulement, dit Vat-syayana, connaissent les règles et les lois sur les-quelles la science est fondée ", même si beaucoup la pratiquent sans... savoir. Ainsi en est-il de l'amour. Et lorsque Socrate parle d'Amour, il déclare, par la bouche de Diotime, que c'est un intermédiaire entre science et ignorance, une opinion droite en somme. Pourtant s'il en est bien ainsi, Vatsyayana n'en affirme pas moins qu'il existe une science de l'amour, des principes et des règles. Que donc l'amour, d'une certaine manière, s'enseigne.*

III. DE QUELQUES ENSEIGNEMENTS

a) La science de l'amour enseigne des règles, mais, ajoute aussitôt Vatsyayana, " un acte ne doit jamais être excusé pour la simple raison que la science l'autorise ; car il faut bien se rappeler que, dans l'intention de la science, c'est seulement dans des cas particuliers que ses règles sont applicables ". Il y a donc la science ET la pratique ; si celle-ci découle de celle-là, elle n'en est pas la pâle imitation. La science parle, " réglemente ", mentionne sous forme de préceptes tout ce qui relève de la chose amoureuse, et même les erreurs : " de ma propre autorité, comme auteur ", dit Vatsyayana, " j'ai mentionné les erreurs dans la science d'amour ", mais, " je les ai, immédiatement après, soigneusement censurées et prohibées " ; plus exactement l'auteur a mis en garde ses lecteurs ; par exemple, les procédés décrits pour s'emparer des épouses d'autrui ne sont pas à mettre en pratique ; MAIS ILS SONT DÉCRITS *; de même, on a vu que les Kama Soutra* *expliquaient à un homme voulant s'introduire dans le harem comment il pouvait, devait faire. C'est dire que ces enseignements ne sont pas à suivre à la lettre ; ce ne sont pas des techniques ou des recettes amoureuses. En fait, ils sont à lire en fonction du " dharma " de chacun.*

b) Souvent reviennent les expressions telles que " moyens convenables ", " moyens appropriés ", etc. Ces termes désignent L'UNION *des hommes et des femmes et disent sa possibilité. Tout est permis, " tout est bon " dit Vatsyayana, encore faut-il savoir ce qui convient, suivant les personnes, les lieux, les temps, etc. Le chapitre 1 de la IIe partie répond — théoriquement si l'on peut dire — à cette question ; il s'intitule " Des sortes d'union sexuelle, suivant les dimensions, la force du désir ou la passion, le temps ". Dans ce chapitre, Vatsyayana traite des unions possibles. On peut même affirmer que c'est* LE *sujet des Kama Soutra : comment s'unir-s'aimer ? L'hypothèse, défendue par Vatsyayana contre d'autres auteurs, est la suivante : même si les hommes et les femmes sont différents — ou : à raison même de leur différence — " il n'y a pas de raison pour une différence quelconque dans le plaisir qu'ils ressentent, parce que ce plaisir dérive naturellement pour tous deux de l'acte qu'ils accomplissent ". En d'autres termes : il y a différence sexuelle, mais identité de plaisir, union possible dans*

15

et par le plaisir — corps et âme —. Cette identité appelle la réciprocité : "Toute chose, quelle qu'elle soit, que l'un des amants fait à l'autre, celui-ci doit la lui rendre : c'est-à-dire si la femme baise l'homme, l'homme doit la baiser en retour ; si elle le frappe, il doit de même la frapper en retour."

c) Un autre et dernier enseignement, aussi "flou" que les autres : "Il convient d'apporter dans les plaisirs de la modération et de la prudence." Ou : "Qui cultive avec soin son Dharma, son Artha et son Kama, et tient en considération les pratiques du peuple, est sûr d'arriver à maîtriser ses sens".

Différence, identité et réciprocité d'un côté, modération, prudence et maîtrise de l'autre seraient les conditions de toute union plaisante. Les Aphorismes sur l'Amour s'en expliquent, non de manière théorique, mais à l'aide d'exemples, de récits, d'anecdotes. Ce n'est que plus troublant. Pourtant, "c'est seulement dans des cas particuliers que ses règles sont applicables". On n'apprend donc rien, même si ce qui est écrit est un enseignement.

Janvier 1979
D.F.

AVANT-PROPOS
DU TRADUCTEUR

L'ouvrage dont nous donnons aux lecteurs français une traduction aussi littérale que possible, vient s'ajouter aux livres déjà nombreux que nous avons édités sur une science toujours explorée, toujours neuve cependant et attrayante. Nous sortons ici des littératures classiques, pour entrer dans une civilisation pleine de mystères, sorte de forêt vierge où l'on marche de surprise en surprise. Aucun livre, assurément, n'est plus capable de surexciter la curiosité.

Mais ce résultat, si appréciable qu'il soit, n'est pas le seul qu'ait poursuivi l'éditeur anglais, auquel nous devons la connaissance des *Kama Soutra*. Il a surtout voulu faire acte de philanthropie, et il n'a

rien négligé pour mettre en lumière les enseignements qu'on peut tirer de l'ouvrage, au point de vue
moral et social. Malheureusement, la morale du
" bon vieux sage " Vatsyayana, si elle recèle quelques filons d'or pur, n'est pas exempte de scories.
Nous pourrons y apprendre, nous autres Européens,
imbus des sauvages doctrines du Mosaïsme, l'indifférence en matière de relations sexuelles, la parfaite
innocence de l'amour libre, le respect de la femme,
si prostituée qu'elle soit ; mais pour le reste, quelle
barbarie ! Ce " bon vieux sage " n'a pas la moindre
idée de la justice ; partout la fraude, la fourberie,
le vol, l'assassinat même ; sa règle unique, c'est
l'égoïsme à sa plus haute puissance. Décidément,
sauf un ou deux préceptes à en rayer, nous préférons
le Décalogue.

Il nous suffira d'avoir touché ce point, que l'éditeur anglais a passé sous silence. Sa publication n'en
est pas moins utile : c'est, en effet, par la pénétration
réciproque des différentes morales en vigueur dans
toutes les parties du globe, que le progrès humain
s'accomplira, si le progrès (ce qui est à craindre)
n'est pas un vain mot.

Comme nous l'avons dit en commençant, notre
traduction est littérale et complète ; elle reproduit
exactement l'édition originale anglaise : texte de
l'auteur, préface, introduction et notes de l'éditeur.

18

Mais elle contient de plus, en appendice, une note détaillée sur un livre arabe de même nature que les *Kama Sutra,* et qui est encore à peu près inconnu. Cette note nous a été fournie par un littérateur à qui les bibliophiles sont redevables d'une foule de travaux, aussi remarquables par l'élégance et la finesse du style que par l'érudition.

I.L.

Paris, le 25 octobre 1885

PRÉFACE
DE L'ÉDITION ANGLAISE

La littérature de tous les pays renferme un certain nombre d'ouvrages spécialement consacrés à l'amour. Partout le sujet se trouve traité différemment, et sous des points de vue variés. Dans la présente publication, on s'est proposé de donner une traduction complète du livre de ce genre le plus important que l'on connaisse dans la littérature sanscrite, à savoir : les Kama Sutra *de Vatsyayana, ou Aphorismes sur l'Amour, par Vatsyayana.*

Après l'Introduction, où seront mentionnés les témoignages concernant la date de l'écrit et les commentaires dont il a été l'objet, viendra, dans une série de chapitres, la traduction de l'ouvrage lui-même. Toutefois, il n'est pas hors de propos de donner d'abord ici une brève analyse d'œuvres de

*même nature, composées par des écrivains posté-
rieurs à Vatsya, mais qui cependant le considéraient
comme le maître de la littérature érotique hindoue.*

*On peut se procurer, dans l'Inde, outre le traité
de Vatsyayana, les ouvrages suivants sur le même
sujet :*

1. Les Ratirahasya, *ou Secrets d'Amour.*
2. Les Panchasakya, *ou les Cinq Flèches.*
3. Le Smara Pradipa, *ou la Lumière d'Amour.*
4. Le Ratimanjari, *ou la Guirlande d'Amour.*
5. Le Rasmanjari, *ou la Pousse d'Amour.*
*6. L'*Anunga Runga, *ou le Stage d'Amour, aussi
appelé* Kamaledhiplava, *ou un Bateau sur l'Océan
d'Amour.*

L'auteur des Secrets d'Amour *(n° 1) est un poète
nommé* Kukkoka. *Il composa son livre pour être
agréable à un certain Venudutta, qui était peut-être
un roi. En écrivant son propre nom à la fin de
chaque chapitre, il se qualifie lui-même de* Siddha
patiya pandita, *c'est-à-dire " un homme ingénieux
parmi les érudits ". L'ouvrage fut traduit en hindou
à une époque très ancienne, et cette traduction
donne à l'auteur le nom de Koka. Et comme le
même nom figure dans toutes les traductions qui en
ont été faites dans les autres langues de l'Inde, le
livre fut bientôt généralement connu et désigné sous*

22

le titre populaire de Koka Shastra, *ou Doctrines de Koka ; or, c'est identiquement le même que les* Kama Shastra, *ou Doctrines d'Amour, et l'on se sert indifféremment des appellations de* Koka Shastra *ou* Kama Shastra.

L'ouvrage contient près de huit cents versets, et il est divisé en dix chapitres, appelés Pachivedas. *Quelques-uns des sujets qui y sont traités ne se trouvent pas dans le livre de Vatsyayana, comme, par exemple, les quatre classes de femmes,* Padmini, Chitrini, Shankini *et* Hastini, *et aussi l'énumération des jours et heures auxquels les femmes des différentes classes deviennent sujettes à l'amour. L'auteur ajoute qu'il a écrit ces choses d'après les opinions de Gonikaputra et de Nandikeshwara, tous les deux mentionnés par Vatsyayana, mais dont les œuvres n'existent plus aujourd'hui. Il est difficile de se faire une idée approximative de la date à laquelle ce livre fut composé. Tout ce qu'on doit présumer, c'est qu'il a été écrit après celui de Vatsyayana et avant d'autres ouvrages sur le même sujet qui existent encore. Vatsyayana donne le nom de dix auteurs sur ces matières dont il a consulté les ouvrages, tous perdus aujourd'hui, et il ne mentionne pas celui-ci. Il est naturel d'en conclure que Kukkoka a écrit après Vatsya : sinon, Vatsya n'eût pas manqué de le mentionner comme il l'a fait pour les autres écrivains dans cette branche de littérature.*

L'auteur des Cinq Flèches *(n° 2) est un certain Jyotirisha. On l'appelle le " principal ornement des poètes, le trésor des soixante-quatre arts, et le meilleur professeur des règles de la musique ". Il prétend avoir composé son ouvrage, après une longue réflexion sur les aphorismes d'amour révélés par les Dieux, et un examen approfondi des opinions de Gonikaputra, Muladeva, Babhravya, Ramtideva, Nandikeshwara et Kshemandra. On ne saurait dire s'il avait réellement lu tous les ouvrages de ces auteurs, ou s'il en avait seulement entendu parler : en tout cas, il ne paraît plus en exister un seul aujourd'hui. Le livre contient près de six cents versets, et il est divisé en cinq chapitres, appelés* Sayakas *ou Flèches.*

L'auteur de la Lumière d'Amour *(n° 3) est le poète Gunakara, fils de Vechapati. Son livre contient quatre cents versets, et ne donne qu'un bref résumé des doctrines d'amour, étant plutôt consacré à d'autres matières.*

La Guirlande d'Amour *(n° 4) est l'œuvre du fameux poète Jayadeva, lequel dit de lui-même qu'il est un écrivain universel. Ce traité, toutefois, est fort court, ne contenant que cent vingt-cinq versets.*

L'auteur de la Pousse d'Amour *(n° 5) est un poète nommé Bhanudatta. Il paraît, d'après le dernier verset du manuscrit, qu'il résidait dans la province de Tirhoot, et qu'il était fils d'un Brahmane nommé Ganeshwar, poète lui aussi. L'ouvrage, rédigé en sanscrit, donne les descriptions des différentes classes d'hommes et de femmes, établies d'après leur âge, leur qualité, leur conduite, etc. Il contient trois chapitres ; la date en est inconnue et ne saurait être fixée.*

Le Stage d'Amour *(n° 6) a été composé par le poète Kullianmull, pour l'amusement de Ladkan, fils d'Admed Lodi ; ce même Ladkan y est appelé dans quelques endroits Ladana Mull, et dans d'autres Ladanaballa. On suppose qu'il devait avoir des liens de parenté ou autres avec la maison de Lodi, qui a régné dans l'Hindoustan de 1450 à 1526. L'ouvrage aurait donc été écrit dans le quinzième ou le seizième siècle. Il contient dix chapitres, et a été traduit en anglais, mais imprimé à six exemplaires seulement,* for private circulation. *C'est probablement le dernier en date des ouvrages sanscrits de ce genre, et les idées qu'on y trouve sont évidemment empruntées à d'autres écrits de même nature.*

Les matières contenues dans ces ouvrages sont en

elles-mêmes une curiosité littéraire. On peut trouver, dans la poésie sanscrite et dans le drame sanscrit, une certaine abondance de ce sentiment et de cette imagination poétiques qui, dans tous les pays et dans toutes les langues, ont jeté sur le sujet une immortelle auréole. Mais, ici, il est traité d'une manière toute unie, toute simple, toute positive. Les hommes et les femmes y sont divisés en classes et sections, absolument comme Buffon et d'autres écrivains d'histoire naturelle ont classifié et divisé le monde animal. De même que les Grecs ont représenté Vénus comme le type de la beauté de la femme, de même les Hindous décrivent la femme Padmini, ou Lotus, comme le type de la perfection féminine, dans les termes suivants :

" *Celle en qui apparaissent les signes et symptômes ci-après, s'appelle une Padmini. Son visage est plaisant comme la pleine lune ; son corps, bien en chair, est doux comme les Shiras ou fleurs de moutarde ; sa peau est fine, tendre et belle comme le lotus jaune, jamais noire. Ses yeux sont brillants et beaux comme ceux du faon, bien découpés et rougeâtres aux coins. Ses seins sont durs, pleins et élevés ; son cou élégant ; son nez droit et gracieux ; et trois plis ou rides se dessinent sur le milieu de son corps, vers la région ombilicale. Son* yoni *ressemble au bouton de lotus qui s'entrouvre, et sa semence d'amour* (Kama salila) *est parfumée comme le lys qui vient de s'épanouir. Elle marche avec la noblesse du cygne, et sa voix est grave et musicale comme l'accent de l'oiseau* kokila ; *elle aime les vêtements blancs, les fins joyaux et les riches parures. Elle mange peu, dort légèrement, et, aussi décente et religieuse qu'elle est adroite et courtoise, sa continuelle préoccupation est d'adorer les Dieux et de jouir de la conversation des Brahmanes. Telle est la femme Padmini, ou Lotus.* ''

Viennent ensuite des descriptions détaillées de la femme Chitrini ou femme Artiste ; de la Shankhini ou femme Conque, et de la Hastini ou femme Eléphant ; leurs jours de jouissance, leurs diversités de passion, la manière dont il faut les manier et les traiter dans le commerce sexuel ; enfin, les caractéristiques des hommes et des femmes dans les diverses contrées de l'Hindoustan. Les détails sont si nombreux, et les sujets si sérieusement travaillés, et avec de tels développements, qu'il nous serait impossible d'en donner ici un aperçu.

Il existe, dans la langue anglaise, un ouvrage qui a certains rapports avec ces livres hindous. Il a pour titre : Kalogynomia, or the Laws of Female Beauty, being the elementary principles of that science, by T. Bell, M. D. (1) ; *il est orné de vingt-quatre*

---

(1) Kalogynomia, ou les Lois de la Beauté féminine; principes élémentaires de cette science, par T. Bell, docteur en médecine.

figures, et a été imprimé à Londres en 1821. Ce livre traite de la Beauté, de l'Amour, du Commerce sexuel, des Lois qui règlent ce commerce, de la Monogamie et de la Polygamie, de la Prostitution, de l'Infidélité, et se termine par un catalogue raisonné *des défauts de la beauté féminine.*

Un autre ouvrage, aussi en anglais, est rempli de détails sur la vie privée et domestique. Il est intitulé : The Elements of Social Science or Physical, Sexual and Natural Religion, with a Solution of the Social Problem, by a Doctor of Medicine ; London, Edward Truelove, 256, High Holborn (1). *Les personnes que les sujets ci-dessus intéressent, trouveront dans ce livre des particularités qui n'existent guère ailleurs, et qui devraient être connues de tous les philanthropes et bienfaiteurs de la Société.*

Après avoir parcouru l'ouvrage hindou et les livres anglais que nous venons de mentionner, le lecteur possédera le sujet, tout au moins sous un point de vue matérialiste, réaliste et pratique. S'il est vrai que toute science soit plus ou moins fondée sur un stratum *de faits, il ne peut y avoir de mal à faire connaître à l'humanité en général certaines matières intimement liées avec sa vie privée, domestique et sociale.*

---

(1) Éléments de la Science sociale, ou de la Religion physique, sexuelle et naturelle, avec une solution du problème social, par un docteur en médecine.

Hélas ! combien d'hommes et combien de femmes n'ont-ils pas misérablement péri pour les avoir complètement ignorées ! Et cependant il eût suffi d'une légère connaissance de ce sujet, généralement ignoré des masses, pour faire comprendre à une foule de gens bien des choses qu'ils ont cru incompréhensibles ou indignes de leur attention.

PREMIÈRE PARTIE

I

SALUTATION A DHARMA,
ARTHA ET KAMA

Au commencement, le Seigneur des Etres créa les hommes et les femmes, et, sous forme de commandements en cent mille chapitres, traça les règles de leur existence par rapport à *Dharma, Artha* et *Kama*. Quelques-uns de ces commandements, ceux, par exemple, qui traitent de Dharma, furent écrits séparément par Swayambhou Manou ; ceux qui regardent Artha furent compilés par Brihaspati et ceux qui ont trait à Kama furent exposés par Nandi, disciple de Mahadeva, en mille chapitres.

Plus tard, ces *Kama Soutra* (Aphorismes sur l'Amour), écrits par Nandi en mille chapitres, furent reproduits par Shevtaketou, fils d'Uddvalaka, sous une forme abrégée, en cinq cents chapitres ; le même ouvrage fut également reproduit sous une forme abrégée, en cent cinquante chapitres, par Babhra-vya, héritier de la région de Punchala (au sud de Delhi). Ces cent cinquante chapitres étaient réunis sous les sept titres ou divisions que voici :

1. Sadharana (questions générales).
2. Samprayogika (embrassements, etc.).
3. Kanya Sampayuktaka (union du mâle et de la femelle).
4. Bharyadhikarika (sur sa propre épouse).
5. Paradarika (sur les épouses d'autrui).
6. Vaisika (sur les courtisanes).
7. Aupamishadika (sur les arts de séduction, les médecines toniques, etc.).

La sixième partie de ce dernier ouvrage fut sépa-rément exposée par Dattaka à la requête des femmes publiques de Pataliputra (Patna) ; de même la pre-mière partie, par Charayana. Les autres parties, savoir la deuxième, la troisième, la quatrième, la cinquième et la septième furent chacune séparément exposées par :

Suvarnanabha (deuxième partie) ;
Ghotakamukha (troisième partie) ;
Gonardiya (quatrième partie) ;
Gonikaputra (cinquième partie) ;
Kuchumara (septième partie).

Ainsi rédigé en parties séparées par différents auteurs, l'ouvrage était presque impossible à trouver complet ; et comme les parties exposées par Dattaka et les autres ne traitaient que des matières spéciales dont chacune d'elles était le sujet ; comme, d'ailleurs, l'œuvre originale de Babhravya n'était pas d'une étude facile, à cause de son étendue, Vatsyayana, par ces diverses raisons, a composé le présent ouvrage, d'un volume restreint, en guise de résumé de tous les travaux des susdits auteurs.

II

DE L'ACQUISITION DE DHARMA ARTHA ET KAMA

L'homme, dont la période de vie est de cent années, doit pratiquer Dharma, Artha et Kama à différentes époques, et de telle manière qu'ils puissent s'harmoniser entre eux sans le moindre désaccord. Il doit acquérir de l'instruction dans son enfance ; dans la jeunesse et l'âge mûr, il s'occupera d'Artha et de Kama, et dans la vieillesse il poursuivra Dharma, s'efforçant ainsi de gagner Moksha, c'est-à-dire la dispense de transmigration ultérieure. Ou, étant donné l'incertitude de la vie, il peut pratiquer ces trois choses aux époques qui lui seront spécifiées. Mais une chose à noter, c'est qu'il doit mener la vie d'un étudiant religieux jusqu'à ce qu'il ait fini son éducation.

Dharma est l'obéissance au commandement des

Shastra ou Ecriture Sainte des Hindous, de faire certaines choses, telles que des sacrifices, lesquelles ne sont pas généralement faites, parce qu'elles n'appartiennent pas à ce monde et ne produisent pas d'effet visible ; et de ne pas faire d'autres choses, comme de manger de la viande, ce qui se fait souvent parce que cela est de ce monde et a des effets visibles.

Dharma est enseigné par le Shruti (Ecriture Sainte), et par ceux qui l'expliquent.

Artha est l'acquisition des arts, terre, or, bétail, richesse, équipages et amis. C'est, en outre, la protection de ce qui est acquis, et l'accroissement de ce qui est protégé.

Artha est enseigné par les officiers du Roi, et par les négociants versés dans le commerce.

Kama est la jouissance d'objets appropriés, par les cinq sens de l'ouïe, du toucher, de la vue, du goût et de l'odorat, assistés de l'esprit uni à l'âme. Le point essentiel en ceci est un contact spécial entre l'organe du sens et son objet, et la conscience du plaisir qui en résulte s'appelle Kama.

Kama est enseigné par les Kama Soutra (aphorismes sur l'amour) et par la pratique des citoyens.

Quand tous les trois, Dharma, Artha et Kama, sont réunis, le précédent est meilleur que le suivant ; c'est-à-dire, Dharma est meilleur qu'Artha, et Artha est meilleur que Kama. Mais Artha doit toujours être pratiqué d'abord par le Roi, car c'est d'Artha seul que dépend la subsistance du peuple. De même, Kama étant l'occupation des femmes publiques, elles doivent le préférer aux autres. Ce sont là des exceptions à la règle générale.

Objection

Plusieurs savants hommes disent que Dharma se rapportant à des choses qui ne sont pas de ce monde, il peut convenablement en être traité dans un livre ; comme aussi d'Artha, parce que la pratique en est possible seulement par l'application de certains moyens, dont la connaissance ne s'acquiert que par l'étude et les livres. Mais Kama, étant une chose pratiquée même par la création brute et qui se voit partout, n'a aucunement besoin d'un livre pour l'enseigner.

Réponse

Cela n'est pas exact. Le commerce sexuel étant une chose dépendante de l'homme et de la femme, il requiert l'application de certains moyens enseignés par les Kama Shastra. La non-application de moyens spéciaux, que nous remarquons dans la créature brute, est due à ce que les animaux n'ont pas d'entraves ; à ce que leurs femelles ne sont propres au commerce sexuel qu'à certaines saisons, sans plus ; enfin, à ce que leur rapprochement n'est précédé d'aucune sorte de pensée.

Deuxième objection

Les Lokayatikas disent : " Les commandements religieux ne doivent pas être observés, car ils portent un fruit quelconque. Qui serait assez fou pour laisser aller dans les mains d'un autre ce qu'il a dans ses propres mains ? D'ailleurs, il est préférable d'avoir un pigeon aujourd'hui, qu'un paon demain ; et une pièce de cuivre que nous avons la certitude d'obtenir est meilleure qu'une pièce d'or dont la possession est douteuse. "

Réponse

Cela n'est pas exact : 1° L'Ecriture Sainte, qui ordonne la pratique de Dharma, ne permet aucun doute ;

2° Les sacrifices, qu'on fait pour la destruction des ennemis, ou pour avoir de la pluie, ont un fruit visible ;

3° Le soleil, la lune, les étoiles, les planètes et autres corps célestes, paraissent opérer intentionnellement pour le bien du monde ;

4° L'existence du monde est assurée par l'observation des règles concernant les quatre classes d'hommes et leurs quatre stages de vie ;

5° Nous voyons qu'on sème de la graine dans la terre avec l'espoir d'une moisson future.

Vatsyayana, en conséquence, est d'avis qu'il faut obéir aux commandements de la religion.

Troisième objection

Ceux qui croient le Destin le premier moteur de toutes choses, disent : " Nous ne devons pas nous efforcer d'acquérir la richesse, car souvent on ne l'acquiert pas en dépit de tous les efforts, tandis que d'autres fois elle nous vient sans aucun effort de notre part. Conséquemment, toute chose est au pouvoir du Destin, qui est le maître du gain et de la peine. Ainsi avons-nous vu Bali élevé au trône d'Indra par le Destin, puis renversé par le même pouvoir, et c'est le Destin seul qui peut le réinstaller. "

Réponse

Ce raisonnement n'est pas juste. Comme l'acquisition d'un objet quelconque présuppose dans tous les cas un certain effort de la part de l'homme, l'application de moyens convenables peut être considérée comme la cause de toutes nos acquisitions, et cette application de moyens convenables étant dès lors nécessaire (même quand une chose doit fatalement arriver), il s'ensuit qu'une personne qui ne fait rien ne goûtera aucun bonheur.

Quatrième objection

Ceux qui inclinent à penser qu'Artha est le principal objet à se procurer raisonnent ainsi : " Il ne faut pas rechercher les plaisirs, parce qu'ils font obstacle à la pratique de Dharma et d'Artha, qui tous les deux leur sont supérieurs, et qu'ils sont méprisés par les personnes de mérite. Les plaisirs conduisent l'homme à la détresse, et le mettent en contact avec des gens de peu ; ils lui font commettre des actes irréguliers et le rendent impur, lui inspirent l'insouciance de l'avenir et encouragent la dissipation et la légèreté. Il est notoire, d'ailleurs, qu'une foule d'hommes exclusivement adonnés aux plaisirs se sont perdus, eux, leurs familles et leurs amis. Ainsi le roi Dandakya, de la dynastie Bhoja, qui avait enlevé une fille de Brahmane dans une mauvaise intention, fut bientôt ruiné et perdit son royaume. Indra qui avait violé la chasteté d'Ahalya, en fut sévèrement puni. De même le puissant Kichaka, qui avait essayé de séduire Draupadi, et Ravana, qui avait voulu abuser de Sita, furent châtiés pour leurs crimes. Ces personnages et beaucoup d'autres furent les victimes de leurs plaisirs. "

Réponse

Cette objection ne tient pas, car les plaisirs, étant aussi nécessaires que la nourriture à l'existence et au bien-être du corps, sont par suite également légitimes. Ils sont, de plus, les résultats de Dharma et d'Artha. D'ailleurs, il convient d'apporter dans les plaisirs de la modération et de la prudence. Personne ne s'abstient de cuire des aliments parce qu'il y a des mendiants pour les demander, ou de semer des grains parce qu'il y a des bêtes pour détruire le blé quand il est mûr.

Donc, un homme qui pratique Dharma, Artha et Kama goûte le bonheur à la fois dans ce monde et dans le monde à venir. Les gens de bien pratiquent les actes dont le résultat ne leur inspire aucune crainte pour le monde à venir, et n'offre aucun danger pour leur bien-être. Tout acte qui conduit à la pratique de Dharma Artha et Kama réunis, ou de deux, ou même d'un seul, doit être exécuté ; mais il faut s'abstenir d'un acte qui conduirait à la pratique d'un seul aux dépens des deux autres.

DES ARTS ET SCIENCES A ÉTUDIER

L'homme doit étudier les *Kama Soutra* et les arts et sciences qui s'y rattachent, concurremment avec les arts et sciences relatifs à Dharma et Artha. Les jeunes filles même doivent étudier les *Kama Soutra,* ainsi que les arts et sciences accessoires, avant leur mariage, pour continuer cette étude avec le consentement de leurs maris.

Ici des savants interviennent, disant que les femmes, auxquelles il est interdit d'étudier aucune science, ne doivent pas étudier les *Kama Soutra.*

Mais Vatsyayaná est d'avis que cette objection ne tient pas : car les femmes connaissent déjà la pratique des *Kama Soutra,* laquelle pratique dérive des *Kama Shastra,* ou de la science de Kama lui-même. En outre, ce n'est pas seulement dans ce cas particulier, mais dans beaucoup d'autres, que, la pratique de la science étant connue de tous, quelques-uns seulement connaissent les règles et les lois sur lesquelles la science est basée. Ainsi les Yadnikas ou sacrificateurs, quoique ignorants de la grammaire, emploient des mots appropriés en s'adressant aux différentes Divinités, et ne savent pas comment ces mots s'écrivent. Ainsi encore, telles et telles personnes remplissent leurs devoirs à tels ou tels jours propices fixés par l'astrologie, sans être initiées à la science astrologique. De même, les conducteurs de chevaux et d'éléphants entraînent ces animaux sans connaître la science de l'entraînement, mais uniquement par la pratique. Pareillement encore, le peuple des provinces les plus éloignées obéit aux lois du royaume par pratique et parce qu'il y a un roi au-dessus de lui, sans autre raison. Et nous savons par expérience que certaines femmes, telles que les filles des princes et de leurs ministres, et les femmes publiques, sont réellement versées dans les Kama Shastra.

Une femme, conséquemment, doit apprendre les Kama Shastra, ou tout au moins une partie, en étudiant leur pratique sous la direction de quelque amie intime. Elle doit étudier seule, en son particulier, les soixante-quatre pratiques qui appartiennent aux Kama Shastra. Son institutrice sera l'une des personnes suivantes, savoir : la fille de sa nourrice qui aura été élevée avec elle et sera déjà mariée, ou une amie digne de toute confiance, ou la sœur de sa mère (c'est-à-dire sa tante maternelle), ou une vieille servante, ou une mendiante qui aura précédemment vécu dans la famille, ou sa propre sœur, à qui elle peut toujours se confier.

Elle devra étudier les arts suivants, de concert avec les Kama Soutra :

— Le chant.
— La musique instrumentale.
— La danse.
— L'association de la danse, du chant et de la musique instrumentale.
— L'écriture et le dessin.
— Le tatouage.
— L'habillement et la parure d'une idole avec du riz et des fleurs.
— La disposition et l'arrangement de lits ou couches de fleurs, ou de fleurs sur le sol.
— La coloration des dents, des vêtements, des yeux, des ongles et des corps ; c'est-à-dire leur teinture, leur coloris et leur peinture.
— La fixation de verres de couleur sur un plancher.
— L'art de faire les lits et d'étendre les tapis et coussins pour reposer.
— Le jeu de verres musicaux remplis d'eau.

— L'emmagasinage et l'accumulation de l'eau dans les aqueducs, citernes et réservoirs.

— La peinture, l'arrangement et la décoration.

— La confection de rosaires, colliers, guirlandes et couronnes.

— Le façonnage de turbans et de chapelets, d'aigrettes et nœuds de fleurs.

— Les représentations scéniques. Les exercices de théâtre.

— La confection d'ornements d'oreilles.

— La préparation de parfums et d'odeurs.

— L'habile arrangement des bijoux et décorations, et la parure dans l'habillement.

— La magie ou sorcellerie.

— L'agilité ou adresse de la main.

— L'art culinaire.

— La préparation de limonades, sorbets, boissons acidulées et extraits spiritueux avec parfum et coloris convenables.

— L'art du tailleur et la couture.

— La confection de perroquets, fleurs, aigrettes, glands, bouquets, balles, nœuds, etc., en laine ou en fil.

— La solution d'énigmes, logogriphes, mots couverts, jeux de mots et questions énigmatiques.

— Un jeu, qui consiste à répéter des vers : lorsqu'une personne a fini, une autre personne doit commencer aussitôt, en répétant un autre vers dont la première lettre doit être la même que la dernière du vers par où a fini le précédent récitateur : quiconque manque de répéter est considéré comme perdant et obligé de payer un forfait ou de laisser son enjeu.

— L'art de la mimique ou imitation.

— La lecture, y compris le chant et l'intonation.

— L'étude de phrases difficiles à prononcer. C'est un exercice qui sert d'amusement surtout aux femmes et aux enfants : étant donné une phrase difficile, qu'il faut répéter rapidement, les mots sont souvent transposés ou mal prononcés.

— L'exercice de l'épée, du bâton simple, du bâton de défense, de l'arc et des flèches.

— L'art de tirer des inférences, de raisonner ou inférer.

— La menuiserie, ou l'art du menuisier.

— L'architecture, ou l'art de bâtir.

— La connaissance des monnaies d'or et d'argent, des bijoux et pierres précieuses.

— La chimie et la minéralogie.

— Le coloriage des bijoux, pierres précieuses et perles.

— La connaissance des mines et carrières.

— Le jardinage ; l'art de traiter les maladies des arbres et des plantes, de les entretenir, et de déterminer leur âge.

— La conduite des combats de coqs, de cailles, de béliers.

— L'art d'instruire à parler les perroquets et les sansonnets.

— L'art d'appliquer des onguents parfumés sur le corps, d'imprégner les cheveux de pommades et de parfums et de les tresser.

— L'intelligence des écritures chiffrées et l'écriture des mots sous différentes formes.

— L'art de parler en changeant la forme des mots. Cela se fait de diverses manières. Les uns changent le commencement et la fin des mots ; les autres intercalent des lettres parasites entre chaque syllabe d'un mot, etc.

— La connaissance des langues et des dialectes provinciaux.

— L'art de dresser des chariots de fleurs.

— L'art de tracer des diagrammes mystiques, ou de préparer des charmes et enchantements et de nouer des bracelets.

— Les exercices d'esprit, tels que de compléter des stances ou des versets dont vous n'avez qu'une partie ; ou de suppléer une, deux ou trois lignes lorsque les autres lignes ont été prises au hasard dans différents versets, de manière à faire du tout un verset complet pour le sens ; ou d'arranger les mots d'un verset qu'on aurait irrégulièrement écrit en séparant les voyelles des consonnes ou en les omettant tout à fait ; ou de mettre en vers ou en prose des phrases représentées par des signes ou des symboles. Il y a une foule d'exercices de ce genre.

— La composition des poèmes.

— La connaissance des dictionnaires et vocabulaires.

— L'art de changer et de déguiser l'apparence des personnes.

— L'art de changer l'apparence des choses, comme de faire prendre du coton pour de la soie, des objets grossiers et communs pour objets fins et rares.

— Les différentes sortes de jeu.

— L'art d'acquérir la propriété d'autrui par voie de *muntras* ou enchantements.

— L'adresse aux exercices juvéniles.

— La connaissance des usages sociaux, et l'art de présenter aux autres ses respects et compliments.

— La science de la guerre, des armes, des armées, etc.

— L'art de gymnastique.

— L'art de deviner le caractère d'un homme par les traits de son visage.

— L'art de scander ou de construire des vers.

— Les récréations arithmétiques.

— La confection des fleurs artificielles.

— La confection de figures et images en argile.

Une femme publique, douée de bonnes dispositions, ayant de la beauté jointe à d'autres attraits,
et, aussi, versée dans les arts ci-dessus, reçoit le nom
de *Ganika,* ou femme publique de haute qualité ;
elle a droit, dans une société d'hommes, à un siège
d'honneur. Toujours respectée par le Roi et louangée
par les lettrés, voyant ses faveurs recherchées de
tous, elle devient l'objet de la considération uni-
verselle. Pareillement la fille d'un roi, comme celle
d'un ministre, si elle possède les arts ci-dessus, peut
s'assurer la préférence de son époux, lors même que
celui-ci aurait des milliers d'autres femmes. Ajoutez
à cela que si une femme vient à être séparée de son
mari et tombe en détresse, elle peut gagner aisément
sa vie, même à l'étranger, grâce à la connaissance
de ces arts. Leur connaissance seule est un attrait
pour une femme, bien que leur pratique soit seulement possible dans telles ou telles circonstances.
Un homme versé dans ces arts, parlant agréablement
et au fait des procédés de la galanterie, conquiert
vite les cœurs des femmes, même après un temps très
court de relations.

IV

LA VIE D'UN CITOYEN

Un homme suffisamment instruit, et possesseur d'une fortune qu'il peut avoir acquise par don, conquête, opération de commerce, dépôt, ou héritage de ses ancêtres, doit devenir chef de maison, et mener la vie de citoyen. Il prendra une maison dans une ville ou dans un village, ou dans le voisinage d'honnêtes gens, ou dans un lieu fréquenté par un grand nombre de personnes. Cette résidence sera située près d'un cours d'eau, et divisée en différents compartiments pour divers objets. Elle sera entourée d'un jardin, et contiendra deux appartements, l'un extérieur, l'autre intérieur. L'appartement intérieur sera occupé par les femmes ; l'autre, embaumé de riches parfums, renfermera un lit, moelleux, agréable à l'œil, couvert d'un drap de parfaite blancheur, peu élevé vers le milieu, surmonté de guirlandes et de faisceaux de fleurs, avec un baldaquin au-dessus, et deux oreillers, l'un à la tête, l'autre au pied. Il y aura aussi une sorte de sopha ou lit de repos, et à la tête une crédence où seront placés les onguents parfumés pour la nuit, des fleurs, des pots de collyre et autres substances odoriférantes, les essences servant à parfumer la bouche et des écorces de citron commun. Près de ce sopha, sur le plancher, un crachoir, une boîte à parures, et aussi un luth pendu à une défense d'éléphant, une table à dessiner, un pot de parfums, quelques livres et des guirlandes d'amarantes jaunes. Un peu plus loin, et sur le plancher, il doit y avoir un siège rond, une boîte à jeux et une table à jouer aux dés ; en dehors de l'appartement extérieur, seront des volières, et une salle séparée pour filer, sculpter le bois, et autres semblables divertissements. Dans le jardin, il y aura une balançoire tournante et une ordinaire ; puis un berceau de plantes grimpantes couvert de fleurs, avec un banc de gazon pour s'asseoir.

Levé dès le matin, le chef de maison, après s'être occupé des devoirs indispensables, se lavera les dents, s'appliquera sur le corps, en quantité modérée, des onguents et des parfums, mettra du collyre sur ses paupières et sous ses yeux, colorera ses lèvres avec de l'alacktaka et se regardera dans le miroir. Puis, ayant mangé des feuilles de bétel et d'autres choses qui parfument la bouche, il vaquera à ses affaires habituelles. Chaque jour il prendra un bain, de deux jours l'un s'oindra le corps avec de l'huile, tous les trois jours s'appliquera sur le corps une substance mousseuse, se fera raser la tête (visage compris) tous les quatre jours, et les autres parties du corps tous les cinq ou dix jours.

Tout cela doit être ponctuellement exécuté ; il aura soin, également, de faire disparaître la sueur des aisselles. Il prendra ses repas dans la matinée, dans l'après-midi et encore le soir, comme le prescrit Charayana. Après déjeuner, il s'occupera d'apprendre à parler à des perroquets et autres oiseaux ; puis viendront les combats de coqs, de cailles et de béliers. Un temps limité sera consacré à des divertissements avec des Pithamardas, des Vitas et des Vidushakas ; ensuite on fera la sieste de midi. Puis le chef de la maison, s'étant revêtu de ses habits et ornements, passera l'après-midi à converser avec ses amis. Le soir, on chantera. Enfin, le chef de maison, en compagnie d'un ami, attendra dans sa chambre, préalablement décorée et parfumée, la venue de la femme qui peut lui être attachée, ou bien il lui enverra une messagère, ou ira lui-même la trouver. Lorsqu'elle sera arrivée, lui et son ami lui souhaiteront la bienvenue et la récréeront par des propos aimables et plaisants. Telle sera la dernière occupation du jour.

Voici les divertissements et amusements auxquels on se livrera de temps à autre :

Festivals en l'honneur de différentes Divinités.
Réunions de société des deux sexes.
Parties à boire.
Pique-niques.
Autres divertissements de société.

Festivals

A certain jour particulièrement propice, une assemblée de citoyens devra se réunir dans le temple de Saraswati. Ce sera alors l'occasion d'éprouver le talent des chanteurs ou autres artistes qui auront pu venir dans la ville, et le lendemain il y aura toujours une distribution de récompenses. On pourra ensuite les retenir ou les renvoyer, selon que l'assemblée aura ou non goûté leurs exercices. Les membres de l'assemblée devront agir de concert en temps de détresse comme en temps de prospérité ; et c'est le devoir de ces citoyens de donner l'hospitalité aux étrangers qui auront pu venir dans l'assemblée. Ceci s'applique, bien entendu, à tous les autres festivals qui peuvent être célébrés en l'honneur des différentes Divinités, conformément aux présentes règles.

Réunions de société

Lorsque les hommes de même âge, dispositions et talents, ayant le goût des mêmes plaisirs, avec le même degré d'éducation, se réunissent en compagnie de femmes publiques, ou dans une assemblée de citoyens, ou au domicile de l'un d'eux, pour y tenir ensemble d'agréables conversations, cela s'appelle une réunion de société. On s'y amuse notamment à compléter des vers à moitié composés par d'autres, et à éprouver l'instruction de chacun dans les différents arts. Les femmes d'une grande beauté, ayant des goûts analogues à ceux des hommes et des attraits propres à captiver les cœurs, ne manquent pas d'être honorées dans ces réunions.

Parties à boire

Hommes et femmes doivent boire dans les maisons les uns des autres. Et alors les hommes feront boire aux femmes publiques, et boiront eux-mêmes des liqueurs telles que le Madhou, l'Aireya, le Sara et l'Asawa, qui sont de goût amer et sûr ; et aussi d'autres boissons faites avec les écorces de différents arbres, de fruits et de feuilles sauvages.

Promenades aux jardins ou pique-niques

Dans la matinée, les hommes, après s'être habillés, se rendront à cheval aux jardins, accompagnés de femmes publiques et suivis de domestiques. Ils vaqueront là aux exercices convenables, passeront le temps en agréables distractions, telles que : combats de cailles, de coqs et de béliers, et autres spectacles ; puis ils s'en retourneront chez eux dans l'après-midi, en rapportant des bouquets de fleurs, etc.

De la même façon, en été, ils iront se baigner dans une eau dont, préalablement, on aura retiré les animaux méchants ou dangereux, et qui aura été empierrée de tous côtés.

Autres divertissements de société

Passer les nuits à jouer aux dés, se promener au clair de lune. Célébrer une fête en l'honneur du printemps. Cueillir les bourgeons et les fruits du manguier. Manger les fibres du lotus. Manger les épis de blé tendres. Faire des pique-niques dans les forêts quand les arbres revêtent leur nouveau feuillage. L'Udakakshredika, ou exercice dans l'eau. Se décorer mutuellement avec les fleurs de certains arbres. Se battre avec les fleurs de l'arbre Kadamba ; et une foule d'autres exercices connus dans tout le pays, ou particuliers à certaines provinces. Ces amusements et d'autres semblables seront toujours en usage parmi les citoyens.

Ils seront, notamment, goûtés par un homme qui se divertit seul avec une courtisane, ou bien par une courtisane qui se récrée de même en compagnie de servantes ou de citoyens.

Un Pithamarda est un homme sans fortune, seul dans le monde, dont l'unique propriété consiste dans son Mallika, quelque substance mousseuse, et un habit rouge ; qui vient d'une bonne contrée, et qui est habile dans tous les arts ; en enseignant ces arts, il est reçu dans la compagnie des citoyens et dans les demeures des femmes publiques.

Un Vita est un homme qui jouit des avantages de la fortune : compatriote des citoyens avec lesquels il se lie, possédant les qualités d'un chef de maison, ayant sa femme avec lui, il est honoré dans l'assemblée des citoyens et dans les demeures des femmes publiques, dont l'assistance le fait vivre.

Un Vidushaka (aussi nommé Vaihasaka, c'est-à-dire qui provoque le rire) est un personnage versé seulement dans quelques arts, un amuseur bien vu de tout le monde.

Ces différentes personnes servent d'intermédiaires

dans les querelles et réconciliations entre citoyens et femmes publiques.

Cette remarque s'applique aussi aux mendiantes, aux femmes à tête rasée, aux femmes adultères et aux vieilles femmes publiques habiles dans tous les arts.

Ainsi un citoyen qui réside dans sa ville ou dans son village, respecté de tous, entretiendra des relations avec les personnes de sa caste qui méritent d'être fréquentées. Il conversera dans leur compagnie et fera jouir ses amis de sa société ; en leur rendant des services, il les induira, par son exemple, à s'obliger de même les uns les autres.

Il y a, sur ce sujet, quelques versets dont voici le texte :

" Un citoyen qui converse dans une société sur certains topiques, sans employer exclusivement la langue sanscrite, ni les dialectes du pays, s'attire un grand respect. Le sage ne doit pas s'affilier à une société que le public méprise, qui n'est gouvernée par aucune règle, et qui tend à la destruction des autres. Mais un homme savant, affilié à une société dont les actes sont au gré du peuple et qui a pour unique objet le plaisir, est hautement respecté dans le monde. "

V

DES SORTES DE FEMMES FRÉQUENTÉES
PAR LES CITOYENS
DES AMIS ET MESSAGERS

Lorsque Kama est pratiqué par des hommes des quatre castes, conformément aux règles de la Sainte Ecriture (c'est-à-dire par mariage légal), avec des vierges de leur propre caste, c'est un moyen d'acquérir une postérité légale et une bonne réputation, et ce n'est pas non plus opposé aux usages du monde. Au contraire, la pratique de Kama avec des femmes de castes plus élevées, et avec celles dont d'autres ont déjà joui, quoiqu'elles soient de la même caste, est prohibée. Mais la pratique de Kama avec des femmes des castes inférieures, avec des femmes excommuniées de leur propre caste, avec des femmes publiques, et avec des femmes deux fois mariées, n'est ni ordonnée ni prohibée.

La pratique de Kama avec de telles femmes n'a pour objet que le plaisir.

Les Nayikas, donc, sont de trois sortes : filles, femmes deux fois mariées, et femmes publiques. Gonikaputra a émis l'opinion qu'il existe une quatrième sorte de Nayika, savoir : une femme à qui l'on s'adresse par une occasion spéciale, même si elle est déjà mariée à un autre. Ces occasions spéciales naissent, pour un homme, de l'un ou de l'autre des raisonnements ci-après :

Cette femme est consentante, et beaucoup d'autres l'ont connue avant moi. Je puis, en conséquence, m'adresser à elle comme à une femme publique, quoiqu'elle appartienne à une caste plus élevée que la mienne, et, ce faisant, je ne violerai pas les commandements de Dharma.

Ou bien :

Cette femme est deux fois mariée, et d'autres l'ont connue avant moi ; rien ne m'empêche, en conséquence, de m'adresser à elle.

Ou bien :

Cette femme a gagné le cœur de son grand et puissant époux, et elle exerce de l'empire sur lui, qui est l'ami de mon ennemi ; si donc elle se lie avec moi, elle obtiendra de son mari qu'il abandonne mon ennemi.

Ou bien :

Cette femme fera tourner en ma faveur l'esprit de son mari, qui est très puissant, et qui, étant mal disposé pour moi en ce moment-ci, projette de me faire quelque mal.

Ou bien :

En me liant avec cette femme, je tuerai son mari et je mettrai ainsi la main sur ses immenses richesses que je convoite.

Ou bien :

L'union de cette femme avec moi ne présente aucun danger, et elle m'apportera une fortune dont j'ai très grand besoin, vu ma pauvreté et mon impuissance à me soutenir. Ce sera donc un moyen de m'approprier ses grandes richesses sans grande difficulté.

Ou bien :

Cette femme m'aime ardemment, et elle connaît mes côtés faibles. Si, en conséquence, je refuse de m'unir à elle, elle publiera mes défauts, de façon à ternir mon caractère et ma réputation. Ou encore elle portera contre moi quelque grosse accusation, dont il me sera difficile de me débrouiller, et je serai ruiné. Ou peut-être elle détachera de moi son mari, qui est puissant et sur qui elle a de l'empire, et elle lui fera prendre le parti de mon ennemi, ou elle-même s'alliera avec ce dernier.

Ou bien :

Le mari de cette femme a violé la chasteté de mes femmes : je lui rendrai donc cette injure en séduisant les siennes.

Ou bien :

Avec l'assistance de cette femme, je tuerai un ennemi du Roi qui a cherché asile près d'elle et que le Roi m'a ordonné de détruire.

Ou bien :

La femme que j'aime est sous la domination de cette autre femme. Je pourrai, au moyen de celle-ci, me faire accueillir de la première.

Ou bien :

Cette femme me procurera une fille, riche et belle, mais qu'il est difficile d'aborder parce qu'elle est sous la domination d'un autre.

Ou, enfin :

Mon ennemi est l'ami du mari de cette femme.
Je pourrai la faire mettre en relations avec lui et
causer ainsi de l'inimitié entre son mari et lui.

Pour ces raisons et d'autres semblables, on peut
s'adresser aux femmes d'autrui, mais il doit être bien
entendu que cela est seulement permis pour des
raisons spéciales, et non pour la pure satisfaction
d'un désir charnel.

Charayana pense que, ceci étant donné, il y a
encore une cinquième sorte de Nayika, savoir : une
femme entretenue par un ministre, ou qui le visite
de temps à autre ; ou une veuve qui favorise le
dessein d'un homme auprès de celui qu'elle fréquente.

Suvarnanabha ajoute qu'une femme qui vit en
ascète et dans l'état de veuvage, peut être considérée
comme une sixième sorte de Nayika.

Ghotakamuka dit que la fille d'une femme
publique, et une servante qui sont encore vierges,
forment une eptième sorte de Nayika.

Gonardiya prétend que toute femme issue d'une
bonne famille, lorsqu'elle est en âge, est une huitième
sorte de Nayika.

Mais ces quatre dernières sortes de Nayikas ne

diffèrent pas beaucoup des quatre premières, car il n'existe pas de raisons spéciales pour s'adresser à elles. En conséquence, Vatsyayana ne reconnaît que quatre sortes de Nayikas, savoir : la fille, la femme deux fois mariée, la femme publique, et la femme à qui l'on s'adresse pour un objet spécial.

On ne doit pas connaître les femmes suivantes :

Une lépreuse ;
Une lunatique ;
Une femme chassée de sa caste ;
Une femme qui révèle des secrets ;
Une femme qui exprime publiquement son désir du commerce sexuel ;
Une femme extrêmement blanche ;
Une femme extrêmement noire ;
Une femme qui sent mauvais ;
Une femme qui est votre proche parente ;
Une femme qui vous est liée d'amitié ;
Une femme qui vit en ascète ;
Et, enfin, la femme d'un parent, d'un ami, d'un Brahmane lettré, ou du Roi.

Les disciples de Babhravya disent qu'il est permis de connaître une femme que cinq hommes ont déjà connue. Mais Gonikaputra est d'avis que, même dans ce cas, il faut excepter les femmes d'un parent, d'un Brahmane lettré ou d'un roi.

66

Voici maintenant les différentes sortes d'amis :

Celui qui a joué avec vous dans la poussière, c'est-à-dire dans l'enfance ;

Celui qui vous est lié par une obligation ;

Celui qui a les mêmes dispositions et les mêmes goûts ;

Celui qui est un de vos camarades d'études ;

Celui qui est au fait de vos secrets et de vos défauts et dont les défauts et les secrets vous sont aussi connus ;

Celui qui est l'enfant de votre nourrice ;

Celui qui a été élevé avec vous ;

Celui qui est un ami héréditaire.

Ces amis doivent posséder les qualités suivantes :

Ils doivent dire la vérité ;

Ils ne doivent pas changer avec le temps ;

Ils doivent favoriser vos desseins ;

Ils doivent être fermes ;

Ils doivent être exempts de convoitise ;

Ils doivent être incapables de se laisser gagner par d'autres ;

Ils ne doivent pas révéler vos secrets.

Charayana dit que les citoyens entretiennent des relations d'amitié avec des blanchisseurs, des barbiers, des vachers, des fleuristes, des droguistes, des marchands de feuilles de bétel, des cabaretiers, des mendiants, des Pithamardas, Vitas et Vidushakas, aussi bien qu'avec des femmes de tous ceux-ci.

Un messager doit posséder les qualités suivantes :

Adresse ;
Audace ;
Connaissance de l'intention des hommes par leurs signes extérieurs ;
Absence de confusion, c'est-à-dire pas de timidité ;
Connaissance de ce que signifient exactement les actes et les paroles des autres ;
Bonnes manières ;
Connaissance des temps et lieux convenables pour faire différentes choses ;
Loyauté en affaires ;
Intelligence vive ;
Prompte application des remèdes, c'est-à-dire abondance et promptitude des ressources.

Et cette partie finit par un verset :

" L'homme ingénieux et sage, qui est assisté par

un ami, et qui connaît les intentions des autres, comme aussi le temps et le lieu convenables pour faire chaque chose, peut triompher très aisément, même d'une femme très difficile à obtenir. ''

FIN DE LA PREMIÈRE PARTIE

DEUXIÈME PARTIE

DE L'UNION SEXUELLE

DES SORTES D'UNION SEXUELLE, SUIVANT LES DIMENSIONS, LA FORCE DU DÉSIR OU LA PASSION, LE TEMPS

Sortes d'unions

L'homme est divisé en trois classes, savoir : l'homme-lièvre, l'homme-taureau et l'homme-cheval, suivant la grandeur de son *lingam*.

La femme aussi, suivant la profondeur de son *yoni*, est une biche, une jument, ou un éléphant femelle.

Il s'ensuit qu'il y a trois unions égales entre personnes de dimensions correspondantes, et six unions inégales quand les dimensions ne correspondent pas, soit neuf en tout, comme on le voit dans le tableau ci-dessous.

Dans ces unions inégales, lorsque l'homme surpasse la femme en dimensions, son union avec la femme qui, sous ce rapport, vient immédiatement après lui, s'appelle *haute union,* et elle est de deux sortes, tandis que son union avec la femme la plus éloignée de lui pour les dimensions s'appelle *très haute union,* et n'est que d'une sorte.

Egales		Inégales	
Lièvre	Biche	Lièvre	Jument
Taureau	Jument	Lièvre	Eléphant
Cheval	Eléphant	Taureau	Biche
		Taureau	Eléphant
		Cheval	Biche
		Cheval	Jument

Par contre, lorsque la femme surpasse l'homme en dimensions, son union avec l'homme qui vient immédiatement après elle s'appelle *basse union,* et elle est de deux sortes ; tandis que son union avec l'homme le plus éloigné d'elle s'appelle *très basse union,* et n'est que d'une sorte.

En d'autres termes, le cheval et la jument, le taureau et la biche, forment la haute union, tandis que le cheval et la biche forment la très haute union. Du côté des femmes, l'éléphant et le taureau, la jument et le lièvre forment la très basse union.

Il y a donc neuf sortes d'unions suivant les dimensions. De ces unions, les égales sont les meilleures ; celle d'un degré superlatif, c'est-à-dire les très hautes et les très basses, sont les pires ; les autres sont de moyenne qualité, et parmi celles-ci les hautes sont meilleures que les basses.

Il y a aussi neuf sortes d'union suivant la force de la passion ou désir charnel, savoir :

Homme	Femme	Homme	Femme
Petite	Petite	Petite	Moyenne
Moyenne	Moyenne	Petite	Intense
Intense	Intense	Moyenne	Petite
		Moyenne	Intense
		Intense	Petite
		Intense	Moyenne

On dit de quelqu'un que c'est un homme de petite passion, lorsque son désir au moment sexuel n'est pas vif, que son sperme est peu abondant, et qu'il ne peut supporter les chaudes étreintes de la femme.

Ceux qui ont un meilleur tempérament sont appelés hommes de passion moyenne ; et ceux qui sont pleins de désir, hommes de passion intense.

De même, les femmes sont supposées avoir les trois degrés de passion.

Enfin, suivant le temps employé, il y a trois catégories d'hommes et de femmes, savoir : ceux ou celles qui emploient peu de temps, ceux ou celles qui emploient un temps modéré, et ceux ou celles qui emploient un long temps ; et de là résultent, comme dans les combinaisons précédentes, neuf sortes d'union.

Mais, sur ce dernier point, les opinions diffèrent au sujet de la femme, et il faut le constater.

Auddalika dit : " Les femmes n'émettent pas comme les hommes. Les hommes assouvissent simplement leur désir, tandis que les femmes, dans leur conscience du prurit, ressentent une sorte de plaisir qui leur est agréable, mais il leur est impossible de vous dire quelle sorte de plaisir elles ressentent. Un fait qui rend ceci évident, c'est que, dans le coït, les hommes s'arrêtent d'eux-mêmes après l'émission, et sont satisfaits, mais qu'il n'en est pas ainsi pour les femmes. "

Cette opinion, toutefois, se heurte à une objection : c'est que si l'homme fait durer l'acte long-temps, la femme l'aime davantage, et que s'il fait trop vite, elle est mécontente de lui. Et cette circonstance, disent quelques-uns, prouverait que la femme émet beaucoup.

Mais cette opinion n'est pas fondée car s'il faut un long temps pour calmer le désir d'une femme, et que durant ce temps elle ressente un grand plaisir, il est tout à fait naturel qu'elle souhaite de le voir durer. Et là-dessus il y a un verset dont voici le texte :

" Par l'union avec les hommes, la lubricité, le désir ou la passion des femmes sont satisfaits, et le plaisir qu'elles en ressentent est appelé leur satisfaction. "

Les disciples de Babhravya, d'un côté, disent que le sperme des femmes continue à tomber du commencement à la fin de l'union sexuelle ; et cela doit être, car si elles n'avaient pas de sperme, il n'y aurait pas d'embryon.

Ici encore on objecte : au début du coït, la passion de la femme est moyenne et elle a peine à soutenir les vigoureuses poussées de son amant ; mais par degrés sa passion s'accroît jusqu'à ce qu'elle n'ait plus conscience de son corps et alors enfin elle éprouve le désir de cesser le coït.

Cette objection, toutefois, est sans valeur ; car même dans les choses ordinaires qui se meuvent avec une grande force, comme une roue de potier, ou une toupie, la motion, pour commencer, est lente, mais par degré devient très rapide.

Maintenant quelqu'un pourra demander ici : si l'homme et la femme sont des êtres de même espèce et concourent tous deux au même résultat, pourquoi ont-ils chacun des fonctions différentes à remplir ?

Vatsya répond qu'il en est ainsi, parce que les

manières d'opérer, aussi bien que la conscience du plaisir, sont différentes chez l'homme et chez la femme. La différence dans les manières d'opérer, l'homme étant agent et la femme patiente, est due à la nature du mâle et de la femelle : autrement l'agent pourrait être quelquefois le patient, et *vice versa*. Et de cette différence dans les manières d'opérer suit une différence dans la conscience du plaisir, car l'homme pense : " Cette femme m'est unie ", et la femme pense : " Je suis unie à cet homme ".

On peut observer : si les manières d'opérer sont différentes chez l'homme et chez la femme, pourquoi n'y aurait-il pas une différence dans le plaisir même qu'ils ressentent et qui est le résultat de ces manières d'opérer ?

Mais cette objection est sans fondement : car l'agent et le patient étant des personnes de différentes sortes, il y a là une raison pour qu'ils opèrent de différentes manières ; mais, il n'y a pas de raison pour une différence quelconque dans le plaisir qu'ils ressentent, parce que ce plaisir dérive naturellement pour tous deux de l'acte qu'ils accomplissent.

Là-dessus encore, quelques-uns pourront dire : lorsque différentes personnes sont occupées au même ouvrage, nous voyons qu'elles concourent au même but ou objet ; tandis qu'au contraire, dans l'union de l'homme et de la femme, chacun d'eux poursuit son but séparément, ce qui est illogique. Mais l'observation n'est pas juste ; car nous voyons quelquefois deux choses faites en même temps, comme dans le combat de béliers, où les deux béliers reçoivent, chacun en même temps, le choc sur la tête. De même lorsqu'on lance l'une contre l'autre deux boules à jouer, et encore dans un combat ou lutte d'athlètes. Si l'on observe que, dans ce cas, les éléments employés sont de même sorte, on répondra que, dans le cas de l'homme et de la femme, la nature de deux personnes est aussi la même. Et comme la différence dans leur manière d'opérer provient seulement de leur différence de conformation, il s'ensuit que les hommes éprouvent la même sorte de plaisir que les femmes.

Il y a aussi là-dessus un verset dont voici le texte :

" Les hommes et les femmes étant de même nature, éprouvent la même sorte de plaisir ; et conséquemment un homme doit épouser une femme qui puisse l'aimer toujours dans la suite. "

Etant prouvé que le plaisir des hommes et des femmes est de même sorte, il s'ensuit que, par rapport au temps, il y a neuf sortes de commerce sexuel, de même qu'il y en a neuf sortes par rapport à la force de la passion.

Et comme il existe ainsi neuf sortes d'union par rapports aux dimensions, à la force de la passion et au temps, la combinaison de toutes ces sortes en produirait d'innombrables. Conséquemment, dans chaque sorte particulière d'union sexuelle, les hommes doivent employer tels moyens qu'ils jugeront convenables pour l'occasion.

La première fois qu'a lieu l'union sexuelle, la passion de l'homme est intense, et le temps qu'il y met, court ; mais dans les unions subséquentes de la même journée, c'est le contraire qui arrive. Il en est tout autrement de la femme, car, à la première fois, sa passion est faible, et le temps qu'elle y met, long ; mais aux reprises subséquentes de la même journée sa passion est intense et le temps court, jusqu'à ce qu'elle soit pleinement satisfaite.

Des différentes sortes d'amour

Les hommes versés dans les humanités sont d'avis qu'il y a quatre sortes d'amour, savoir :

1. Amour résultant d'une habitude continue.
2. Amour résultant de l'imagination.
3. Amour résultant de la foi.
4. Amour résultant de la perception d'objets extérieurs.

— L'amour résultant de l'exécution constante et continue de tel ou tel acte, est dit *amour acquis par pratique et habitude constantes :* comme, par exemple, l'amour du commerce sexuel, l'amour de la chasse, l'amour de la boisson, l'amour du jeu, etc.

— L'amour ressenti pour des choses auxquelles on n'est pas habitué, et qui procède entièrement des idées est dit *amour résultant de l'imagination :* comme, par exemple, l'amour que certains hommes, femmes et eunuques éprouvent pour l'Auparishtaka ou congrès buccal, et celui que tout le monde éprouve pour des actes tels que d'embrasser, de caresser, etc.

— L'amour réciproque des deux parts, et dont la sincérité n'est pas douteuse, quand chacun voit dans l'autre une moitié de soi-même, est dit *amour résultant de la foi par expérience.*

— *L'amour résultant de la perception d'objets extérieurs* est bien évident et bien connu de tout le monde car le plaisir qu'il procure est supérieur au plaisir des autres sortes d'amour, qui n'existent que par lui.

Ce qui est dit dans ce chapitre au sujet de l'union sexuelle est suffisant pour l'homme instruit ; mais pour l'édification de l'ignorant, ce même sujet va être maintenant traité au long et en détail.

II

DE L'EMBRASSEMENT

Cette partie des Kama Shastra, qui traite de l'union sexuelle, est aussi appelée " Soixante-quatre " *(Chatusbabti).* Certains vieux auteurs disent qu'on l'appelle ainsi, parce qu'elle contient soixante-quatre chapitres. Suivant d'autres, l'auteur étant un personnage nommé Panchala, et celui qui récitait la partie des Rig Veda, dite Dashatapa, qui contient soixante-quatre versets, se nommant aussi Panchala, le nom de " soixante-quatre " a été donné à cette partie de l'ouvrage en l'honneur des Rig Veda. D'un autre côté, les disciples de Babhravya disent que cette partie renferme huit sujets, savoir : l'embrassement, le baiser, l'égratignure avec les ongles ou les doigts, la morsure, le coucher, la production de différents sons, la femme jouant le rôle de l'homme, et l'Auparishtaka, ou congrès buccal. Chacun de ces sujets ayant huit divisions, et huit multiplié par huit donnant soixante-quatre, cette partie est en conséquence appelée " soixante-quatre ". Mais Vatsyayana affirme que cette partie contenant aussi les sujets suivants, savoir : les coups, les cris, les actes de l'homme durant le congrès, les différentes sortes de congrès, et d'autres encore, c'est par hasard seulement que ce nom de " soixante-quatre " lui a été donné. On dit, par exemple : cet arbre est "Saptaparna ", ou à sept feuilles ; cette offrande de riz est " Panchavarna ", ou de cinq couleurs, quoique l'arbre n'ait pas sept feuilles ni le riz cinq couleurs.

Quoi qu'il en soit, il est ici traité de cette partie " soixante-quatre ", et l'on va s'occuper du premier sujet, l'embrassement.

Or, l'embrassement, qui indique l'amour mutuel de l'homme et de la femme réunis, est de quatre sortes, savoir :

Touchant.
Perçant.
Frottant.
Pressant.

L'action, dans chaque cas, est déterminée par le sens du mot qui la désigne.

— Lorsqu'un homme, sous un prétexte ou sous un autre, va au-devant ou à côté d'une femme et touche son corps avec le sien, c'est l'*embrassement touchant*.

— Lorsqu'une femme, dans un endroit solitaire, se penche comme pour ramasser quelque chose, et perce, pour ainsi dire, un homme assis ou debout, avec ses seins, dont l'homme s'empare aussitôt, c'est l'*embrassement perçant*.

Les deux sortes d'embrassements ci-dessus n'ont lieu qu'entre personnes qui ne se parlent pas encore librement.

— Lorsque deux amants se promènent lentement ensemble, dans l'obscurité, dans un lieu fréquenté ou dans un endroit solitaire, et se frottent le corps l'un contre l'autre, c'est *l'embrassement frottant*.

— Lorsque, en pareille occasion, l'un d'eux presse le corps de l'autre avec force contre un mur ou un pilier, c'est l'*embrassement pressant*.

Ces deux derniers embrassements sont particuliers à ceux qui savent leurs intentions réciproques.

Au moment de la rencontre, quatre sortes d'embrassements sont usités, savoir :

Jataveshtitaka, ou l'enlacement du reptile.

Vrikshadhirudhaka, ou le grimpement à l'arbre.

Tila-Tandulaka, ou le mélange de graine de sésame et de riz.

Kshaniraka, ou l'embrassement lait et eau.

— Lorsqu'une femme, se cramponnant à un homme comme un reptile s'enlace à un arbre, attire sa tête vers la sienne dans l'intention de le baiser, et, faisant entendre un léger son de " *soutt soutt* ", l'embrasse et le regarde avec amour, cet embrassement s'appelle l'*enlacement du reptile*.

— Lorsqu'une femme, ayant placé un pied sur le pied de son amant, et l'autre sur une de ses cuisses, passe un de ses bras sur ses reins et l'autre sur ses épaules, chantonne à mi-voix comme si elle roucoulait, et veut, en quelque sorte, grimper sur lui pour avoir un baiser, cet embrassement s'appelle le *grimpement à l'arbre*.

Ces deux sortes d'embrassements ont lieu lorsque l'amant est debout.

— Lorsque les amants sont couchés dans un lit, et s'embrassent si étroitement que les bras et les cuisses de l'un sont enlacés par les bras et les cuisses de l'autre, dans une sorte de frottement réciproque, cet embrassement s'appelle le *mélange de graine de sésame et de riz*.

— Lorsqu'un homme et une femme s'aiment violemment, et, sans s'inquiéter de se faire mal, s'embrassent comme s'ils voulaient pénétrer dans le corps l'un de l'autre, que la femme soit assise sur les genoux de l'homme, ou devant lui, ou sur un lit, cet embrassement s'appelle le *mélange de lait et d'eau.*

Ces deux sortes d'embrassements ont lieu au moment de l'union sexuelle.

Telles sont les huit sortes d'embrassements que nous a relatés Babhravya.

Suvarnanabha nous donne, en outre, quatre manières d'embrasser de simples membres du corps, qui sont :

L'embrassement des cuisses.

L'embrassement du jaghana, c'est-à-dire de la partie du corps entre le nombril et les cuisses.

L'embrassement des seins.

L'embrassement du front.

— Lorsqu'un des deux amants presse avec force une des cuisses de l'autre, ou toutes les deux, contre la sienne ou les siennes propres, cela s'appelle *l'embrassement des cuisses.*

— Lorsque l'homme presse le jaghana ou partie médiane du corps de la femme contre le sien, et monte sur elle, soit pour l'égratigner avec les ongles ou les doigts, soit pour la mordre, la frapper ou la baiser, la chevelure étant dénouée et flottante, cela s'appelle *l'embrassement du jaghana.*

— Lorsqu'un homme applique sa poitrine contre les seins d'une femme et l'en presse, cela s'appelle l'*embrassement des seins.*

— Lorsqu'un des amants applique sa bouche, ses yeux et son front sur la bouche, les yeux et le front de l'autre, cela s'appelle l'*embrassement du front.*

Suivant quelques-uns, le massage est aussi une sorte d'embrassement, parce qu'il implique un contact de deux corps. Mais Vatsyayana pense que le massage a lieu à un autre moment et dans un but différent, et comme, de plus, il est d'un autre caractère, on ne peut pas dire qu'il soit compris dans les embrassements.

Il y a aussi là-dessus, quelques versets dont voici le texte :

" Le sujet tout entier de l'embrassement est de telle nature, que les hommes qui s'en acquièrent ou qui en entendent parler, ou qui en parlent, éprouvent par cela seul un désir de jouissance. Certains embrassements non mentionnés dans les Kama Shastra doivent être néanmoins pratiqués au moment de la jouissance sexuelle, s'ils peuvent de façon ou d'autre procurer un accroissement d'amour. Les règles de Shastra sont applicables aussi longtemps que la passion de l'homme est moyenne ; mais une fois la roue d'amour mise en motion, il n'y a plus ni Shastra ni règles. "

III

DU BAISER

Quelques-uns prétendent qu'il n'y a pas d'ordre ni de temps fixé pour l'embrassement, le baiser, et la pression ou égratignure avec les ongles ou les doigts, mais que toutes ces choses doivent avoir lieu généralement avant l'union sexuelle ; tandis que les coups et l'émission de différents sons accompagnent généralement cette union. Vatsyayana, quant à lui, pense que tout est bon à un moment quelconque, l'amour n'ayant souci ni d'ordre ni de temps.

A l'occasion du premier congrès, il faut user modérément du baiser et des autres pratiques ci-dessus mentionnées, ne pas les continuer longtemps, et les alterner. Mais, aux reprises suivantes, c'est le contraire qui est de saison, et la modération n'est plus nécessaire ; on peut les continuer longtemps eι, afin d'attiser l'amour, les exercer toutes à la fois.

Le baiser portera sur les parties suivantes : le front, les yeux, les joues, la gorge, la poitrine, les seins, les lèvres et l'intérieur de la bouche. Les gens du pays de Lat baisent aussi les endroits suivants : les jointures des cuisses, les bras et le nombril. Mais Vatsyayana est d'avis que, si ces gens pratiquent ainsi le baiser par excès d'amour et conformément aux coutumes de leur province, il n'est pas convenable à tous de les imiter.

Maintenant, quand il s'agit d'une jeune fille, trois sortes de baisers sont en usage, savoir :

Le baiser nominal.
Le baiser palpitant.
Le baiser touchant.

— Lorsqu'une fille touche seulement la bouche de son amant avec la sienne, mais sans rien faire elle-même, cela s'appelle le *baiser nominal*.

— Lorsqu'une fille, mettant un peu de côté sa pudeur, veut toucher la lèvre qui presse sa bouche et, dans ce but fait mouvoir sa lèvre inférieure mais non la supérieure, cela s'appelle le *baiser palpitant*.

— Lorsqu'une fille touche la lèvre de son amant avec sa langue, et, fermant les yeux, met ses mains dans celles de son amant, cela s'appelle le *baiser touchant*.

D'autres auteurs décrivent quatre sortes de baisers, savoir :

Le baiser droit.
Le baiser penché.
Le baiser tourné.
Le baiser pressé.

— Lorsque les lèvres de deux amants sont directement mises en contact les unes avec les autres, cela s'appelle un *baiser droit*.

— Lorsque les têtes des deux amants sont penchées l'une vers l'autre et que, dans cette position, ils se donnent un baiser, cela s'appelle un *baiser penché*.

— Lorsque l'un d'eux fait tourner le visage de l'autre en lui prenant la tête et le menton, et lui donne alors un baiser, cela s'appelle un *baiser tourné*.

— Enfin, lorsque la lèvre inférieure est pressée avec force, cela s'appelle un *baiser pressé*.

Il y a aussi une cinquième sorte de baiser, qu'on appelle le *baiser grandement pressé*. On le pratique en tenant la lèvre inférieure entre deux doigts, puis, après l'avoir touchée avec la langue, on la presse très fort avec la lèvre.

En matière de baiser on peut jouer à qui s'emparera le premier des lèvres de l'autre. Si la femme perd, elle fera mine de pleurer, écartera son amant en battant des mains, lui tournera le dos et lui cherchera querelle en disant : " Donne-moi la revanche. " Si elle perd une seconde fois, elle paraîtra doublement affligée ; et lorsque son amant sera distrait ou endormi, elle s'emparera de sa lèvre inférieure et la tiendra entre ses dents, de façon qu'elle ne puisse s'échapper ; puis elle éclatera de rire, fera grand bruit, se moquera de lui, dansera tout autour et dira ce qui lui passera par la tête, en remuant les sourcils et roulant les yeux. Tels sont les jeux et les querelles qui accompagnent le baiser, mais on peut les associer aussi à la pression ou égratignure avec les ongles et les doigts, à la morsure et à la verbération. Toutefois, ces pratiques ne sont familières qu'aux hommes et aux femmes de passion intense.

Lorsqu'un homme baise la lèvre inférieure d'une femme, et que celle-ci, en retour, baise la lèvre inférieure de son amant, cela s'appelle le *baiser de la lèvre supérieure.*

Lorsque l'un d'eux prend entre ses lèvres les deux lèvres de l'autre, cela s'appelle un *baiser serrant.* Mais cette sorte de baiser n'est prise par une femme que sur un homme sans moustaches. Et si, à l'occasion de ce baiser l'un des amants touche avec sa langue les dents, la langue et le palais de l'autre, cela s'appelle le *combat de la langue.* Il y a lieu de pratiquer, de la même manière, la pression des dents de l'un contre la bouche de l'autre. Le baiser est de quatre sortes, savoir : modéré, contracté, pressé et doux, suivant les différentes parties du corps sur lesquelles il porte ; ces différentes sortes de baiser sont appropriées à différentes parties du corps.

Lorsqu'une femme regarde le visage de son amant pendant son sommeil, et le baise pour montrer son intention ou désir, cela s'appelle un *baiser qui attise l'amour.*

Lorsqu'une femme baise son amant pendant qu'il est en affaire, ou qu'il la querelle, ou qu'il regarde quelque autre chose, de façon à distraire son esprit, cela s'appelle un *baiser qui distrait.*

Lorsqu'un amant, rentré tard la nuit, baise sa maîtresse endormie sur son lit afin de lui montrer son désir, cela s'appelle *un baiser qui éveille.* En pareille occasion, la femme peut faire semblant de dormir à l'arrivée de son amant, de sorte qu'elle puisse connaître son intention et obtenir son respect.

Lorsqu'une personne baise l'image de la personne aimée, réfléchie dans un miroir, dans l'eau, ou sur un mur, cela s'appelle un *baiser qui montre l'intention.*

Lorsqu'une personne baise un enfant assis sur ses genoux, ou une peinture, ou une image, ou une figure, en présence de la personne aimée, cela s'appelle un *baiser transféré.*

Lorsque la nuit, au théâtre, ou dans une réunion de caste, un homme allant au-devant d'une femme baise un doigt de sa main si elle est debout, ou un orteil de son pied si elle est assise ; ou lorsqu'une femme, en massant le corps de son amant, met son visage sur sa cuisse, comme si elle voulait dormir, de manière à enflammer sa passion, et baise sa cuisse ou son gros orteil, cela s'appelle un *baiser démonstratif.*

Il y a aussi sur ce sujet, un verset dont voici le texte :

" Toute chose, quelle qu'elle soit, que l'un des amants fait à l'autre, celui-ci doit la lui rendre : c'est-à-dire, si la femme baise l'homme, l'homme doit la baiser en retour ; si elle le frappe, il doit de même la frapper en retour. "

DE LA PRESSION, OU MARQUE, OU ÉGRATIGNURE AVEC LES ONGLES

Lorsque l'amour devient intense, c'est le cas de pratiquer la pression ou l'égratignure du corps avec les ongles. Cette pratique a lieu dans les occasions suivantes : lors de la première visite ; au moment de partir pour un voyage ; au retour d'un voyage ; au moment de la réconciliation avec un amant irrité ; et enfin lorsque la femme est ivre.

Mais la pression avec les ongles n'est familière qu'aux amants à la passion intense. Ceux qui s'y plaisent associent cette pratique à la morsure.

La pression avec les ongles est de huit sortes, suivant la forme des marques qui en résultent, savoir :

Sonore.
Demi-lune.

Cercle.

Ligne.

Griffe de tigre.

Patte de paon.

Saut du lièvre.

Feuille de lotus bleu.

Les endroits sur lesquels doit porter cette pression avec les ongles, sont : le creux de l'aisselle, la gorge, les seins, les lèvres, le jaghana ou partie médiane du corps, et les cuisses. Mais Suvarnanabha est d'avis que, si l'impétuosité de la passion est excessive, il n'y a pas à se préoccuper de l'endroit.

Les qualités requises pour de bons ongles, c'est qu'ils soient brillants, bien plantés, propres, entiers, convexes, doux et polis. Les ongles sont de trois sortes, suivant leur grandeur, savoir :

Petits.

Moyens.

Grands.

Les grands ongles, qui donnent de la grâce aux mains et attirent, par leur apparence, les cœurs des femmes, sont possédés par les Bengalis.

Les petits ongles, dont on peut se servir de diverses manières, mais seulement pour donner du plaisir sont possédés par les gens des districts méridionaux.

Les ongles moyens, qui ont les propriétés des deux autres sortes, appartiennent au peuple de Maharashtra.

Lorsqu'une personne presse le menton, les seins, la lèvre ou le jaghana d'une autre, si doucement qu'il n'en reste aucune marque ou égratignure, et que le poil seul se dresse sur le corps au contact des ongles, qui eux-mêmes rendent un son, cela s'appelle une *pression sonore avec les ongles.*

Cette pression est usitée à l'égard d'une jeune fille, lorsque son amant la masse, lui gratte la tête, et veut la troubler ou l'effrayer.

— La marque courbe avec les ongles, qui est imprimée sur le cou et les seins, s'appelle la *demi-lune.*

— Lorsque les demi-lunes sont imprimées l'une contre l'autre, cela s'appelle un *cercle.* Cette marque avec les ongles se fait généralement sur le nombril, sur les petites cavités à l'entour des fesses, et sur les jointures des cuisses.

— Une marque en forme de petite ligne, qu'on

peut faire sur n'importe quelle partie du corps, s'appelle une *ligne*.

— La même ligne, si elle est courbe, et tracée sur la poitrine, s'appelle une *griffe de tigre*.

— Lorsqu'on trace une ligne courbe sur la poitrine au moyen des cinq ongles, cela s'appelle une *patte de paon*. On fait cette marque dans le but d'en tirer honneur car il faut beaucoup d'adresse pour l'exécuter proprement.

— Lorsque cinq marques avec les ongles sont faites l'une auprès de l'autre aux environs de la mamelle, cela s'appelle le *saut du lièvre*.

— Une marque faite sur la poitrine ou sur les hanches en forme de feuille de lotus bleu, s'appelle la *feuille de lotus bleu*.

Lorsqu'une personne, au moment de partir en voyage, fait une marque sur les cuisses ou la poitrine, cela s'appelle un *signe de souvenir*. Il est d'usage, en pareille occasion, d'imprimer trois ou quatre lignes l'une près de l'autre avec les ongles.

Ici finit la marque avec les ongles. On peut encore, par leur moyen, faire d'autres marques que celles ci-dessus décrites : car, suivant l'observation des anciens auteurs, autant sont innombrables les degrés d'adresse parmi les hommes, qui tous connaissent la pratique de cet art, autant sont innombrables les manières de faire ces marques. Et comme la pression ou la marque avec les ongles dépendent de l'amour, personne ne peut dire avec certitude combien de sortes différentes il en existe réellement. La raison de ceci, pour Vatsyayana, c'est que, si la variété est nécessaire en amour, l'amour doit être produit par la variété des moyens. Voilà pourquoi les courtisanes, qui sont bien au fait des diversités de voies et moyens, sont si désirables ; car cette variété que l'on recherche dans tous les arts et amusements, tels que le tir à l'arc et autres exercices, à combien plus forte raison doit-on la rechercher en matière d'amour ?

Les marques d'ongles ne doivent pas être faites sur des femmes mariées ; mais on peut imprimer, sur leurs parties secrètes, des sortes particulières de marques pour remémorer ou accroître l'amour.

Il y a aussi, sur ce sujet, quelques versets dont voici le texte :

" L'amour d'une femme qui voit des marques d'ongles sur les parties secrètes de son corps, même si elles sont anciennes et presque effacées, se ravive et se renouvelle. S'il n'y a pas de marques d'ongles pour rappeler à une personne le passage de l'amour, alors l'amour diminue comme il arrive lorsqu'on laisse passer un long temps sans qu'il y ait d'union. "

Lorsqu'un étranger aperçoit, même de loin, une jeune femme avec des marques d'ongles sur les seins, il est saisi pour elle d'amour et de respect.

Pareillement, un homme qui porte des marques d'ongles ou de dents sur certaines parties de son corps, influence l'esprit d'une femme, si ferme qu'il soit d'ailleurs. Bref, rien n'est puissant pour accroître l'amour comme les marques d'ongles ou de morsures.

V

DE LA MORSURE ET DES MOYENS
A EMPLOYER A L'ÉGARD DES FEMMES
DE DIFFÉRENTS PAYS

Tous les endroits du corps qui peuvent être baisés, sont aussi les endroits qui peuvent être mordus, sauf la lèvre supérieure, l'intérieur de la bouche et les yeux.

Les qualités requises pour de bonnes dents, c'est qu'elles soient égales, d'un brillant agréable à l'œil, susceptibles d'être coloriées, de proportions convenables, intactes, et que l'extrémité en soit fine.

Par contre, sont défectueuses : les dents ébréchées, déchaussées, rudes, molles, grandes, ou mal plantées.

Les différentes sortes de morsures sont comme suit :

La morsure cachée.
La morsure enflée.

Le point.
La ligne de points.
Le corail et joyau.
La ligne de joyaux.
Le nuage brisé.
La morsure du sanglier.

— La morsure qui ne se révèle que par l'excessive rougeur de la·peau mordue s'appelle la *morsure cachée.*

— Lorsque la peau est déprimée des deux côtés, cela s'appelle la *morsure enflée.*

— Lorsqu'une petite portion de la peau est mordue avec deux dents, seulement, cela s'appelle le *point.*

— Lorsque de petites portions de la peau sont mordues avec toutes les dents, cela s'appelle la *ligne de points.*

— La morsure qui est faite avec les dents et les lèvres réunies, s'appelle le *corail et joyau.* La lèvre est le corail et les dents le joyau.

— Lorsque la morsure est faite avec toutes les dents cela s'appelle la *ligne de joyaux.*

— La morsure dont les marques en forme de cercle sont inégales, ce qui provient de l'espacement des dents, s'appelle le *nuage brisé*. On l'imprime sur les seins.

— La morsure qui consiste en plusieurs larges rangées de marques, l'une près de l'autre, et avec des intervalles rouges, s'appelle la *morsure du sanglier*. On l'imprime sur les seins et sur les épaules. Ces deux derniers modes de morsures sont particuliers aux personnes de passion intense.

C'est sur la lèvre inférieure que se font la *morsure cachée,* la *morsure enflée* et le *point ;* la *morsure enflée* se fait encore sur la joue, ainsi que le *corail et joyau.* Le baiser, la pression avec les ongles et la morsure sont les ornements de la joue gauche ; et quand il est question de joue, c'est la joue gauche qu'il faut entendre.

La *ligne de points* et la *ligne de joyaux* doivent toutes deux être imprimées sur la gorge, l'aisselle et les jointures des cuisses ; mais la *ligne de points* seule doit être imprimée sur le front et les cuisses.

Si l'on marque avec les ongles, ou si l'on mord les objets suivants, savoir : un ornement du front, un ornement d'oreille, un bouquet de fleurs, une feuille de bétel ou une feuille de tamala, qui sont portés par une femme aimée ou lui appartiennent, cela signifie désir de jouissance.

Ici finissent les différentes sortes de morsures.

En matière d'amour, un homme doit s'étudier à faire des choses agréables aux femmes des divers pays.

Les femmes des contrées centrales (c'est-à-dire entre le Gange et le Djoumnah) sont d'un caractère noble, non accoutumées aux pratiques désagréables ; elles répugnent à la pression des ongles et à la morsure.

Les femmes du pays de Balhika se laissent gagner par qui les frappe.

Les femmes d'Avantika aiment les plaisirs grossiers et n'ont pas de bonnes mœurs.

Les femmes du Maharashtra aiment à pratiquer les soixante-quatre arts ; elles articulent des mots bas et malsonnants et veulent qu'on leur parle de même ; elles sont enragées de jouissance.

Les femmes de Pataliputra (c'est-à-dire la moderne Patna) sont du même tempérament que celles du Maharashtra, mais elles n'expriment leurs désirs qu'en secret.

Les femmes du pays de Dravida, si bien frottées et comprimées qu'elles puissent être au moment de la jouissance sexuelle, sont très lentes à parfaire le coït.

Les femmes de Vanavasi sont modérément passionnées ; elles aiment toute espèce d'amusement,
couvrent leur corps, et réprimandent ceux qui disent
des mots bas, grossiers et malsonnants.

Les femmes d'Avanti haïssent le baiser, la marque
avec les ongles et la morsure ; mais elles affec-
tionnent différentes sortes d'union sexuelle.

Les femmes de Malwa aiment l'embrassement et le
baiser, mais sans blessure, et elles se laissent gagner
par qui les frappe.

Les femmes d'Abhira, et celles du pays entre
l'Indus et les cinq rivières (c'est-à-dire le Pendjab),
sont folles de l'Auparishtaka ou congrès buccal.

Les femmes d'Aparitaka sont pleines de passion ;
elles font entendre lentement le son de " *Sitt* ".

Les femmes du pays de Lat ont des désirs plus
violents encore, et elles font aussi entendre le son de
" *Sitt* ".

Les femmes du Stri Rajya et de Koshola (Oude)
sont pleines d'impétueux désirs.

Les femmes du pays d'Andhra ont des corps
tendres ; elles aiment à se divertir et sont portées
aux plaisirs sensuels.

Les femmes de Ganda ont le cœur tendre et
parlent doucement.

Maintenant, si l'on s'en rapporte à Suvarnanabha,
les convenances de nature de telle ou telle personne,
prise en particulier, importent plus que les usages

généraux du pays entier, et, conséquemment, ces usages ne doivent pas être suivis dans tel ou tel cas donné. Les divers plaisirs, l'habillement, les exercices et divertissements d'un pays finissent par être empruntés par un autre, et l'on doit, dans le cas en question, les considérer comme originaires de ce pays même.

Des choses mentionnées plus haut, savoir : l'embrassement, le baiser, etc., on doit faire d'abord celles qui accroissent la passion ; on fera ensuite celles qui n'ont pour objet que l'amusement ou la variété.

Il y a aussi, là-dessus, quelques versets dont voici le texte :

" Quand un homme mord violemment une femme, elle doit lui rendre furieusement avec deux fois autant de force. Ainsi, pour un *point* elle rendra une *ligne de points* et pour une *ligne de points* un *nuage brisé* ; et si elle est très surexcitée, elle entamera immédiatement une querelle d'amour. En même temps, elle saisira son amant par les cheveux, lui fera courber la tête, baisera sa lèvre inférieure, et alors, enragée d'amour, fermant les yeux, elle le mordra en divers endroits. Même le jour et dans un lieu fréquenté, si son amant lui montre quelque marque qu'elle peut avoir imprimée sur son corps, elle sourira à cette vue, et, tournant son visage comme si elle allait l'invectiver, elle lui montrera d'un air irrité, sur son propre corps, les marques que lui-même a pu y faire. Ainsi donc, si hommes et femmes agissent au gré les uns des autres, leur amour mutuel ne subira aucune diminution, fût-ce pendant un siècle. "

VI

DES DIFFÉRENTES MANIÈRES DE SE COUCHER ET DES DIVERSES SORTES DE CONGRÈS

Dans le cas d'un *haut congrès,* la femme Mrigi *(Biche)* devra se coucher de façon à élargir son *yoni* ; tandis que dans le *bas congrès,* la femme Hastini *(Eléphant)* se couchera de manière à contracter le sien. Mais dans un *congrés égal,* elles se coucheront dans la position naturelle. Ce qui vient d'être dit de la Mrigi et de la Hastini s'applique aussi à la femme Vadawa *(Jument).* Dans un *bas congrès,* les femmes feront particulièrement usage de drogues, pour que leurs désirs soient prompte-ment satisfaits.

Il y a pour la femme-biche, trois manières de se coucher, savoir :

La position largement ouverte.

La position béante.
La position de la femme d'Indra.

— Lorsqu'elle baisse sa tête et lève la partie médiane de son corps, cela s'appelle la *position largement ouverte.* A ce moment l'homme doit appliquer quelque onguent pour rendre l'entrée plus facile.

— Lorsqu'elle lève ses cuisses et les tient toutes grandes écartées, puis engage le congrès, cela s'appelle la *position béante.*

— Lorsqu'elle ramène ses cuisses, avec ses jambes repliées dessus, sur le côté, et dans cette posture engage le congrès, cela s'appelle la *position d'Indrani ;* la pratique seule peut l'apprendre. Cette position convient aussi dans le cas d'un *très haut congrès.*

La *position serrante* est usitée dans le *bas congrès* et dans le *très bas congrès,* concurremment avec la *position pressante, la position liante* et la *position de la jument.*

Lorsque les jambes de l'homme et de la femme sont étendues droites l'une contre l'autre, cela s'appelle la *position serrante.* Elle est de deux sortes : la position de côté et la position de dos, suivant la manière dont ils sont couchés. Dans la position de côté, l'homme doit invariablement se coucher sur le côté gauche et faire coucher la femme sur le côté droit, cette règle est à observer avec toutes sortes de femmes.

Lorsque, le congrès ayant commencé dans la position serrante, la femme presse son amant entre ses cuisses, cela s'appelle la *position pressante.*

Lorsqu'une femme place une de ses cuisses en travers de la cuisse de son amant, cela s'appelle la *position liante.*

Lorsque la femme retient de force le lingam dans son yoni cela s'appelle la *position de la jument.* La pratique peut seule l'apprendre ; elle est surtout connue chez les femmes du pays d'Andra.

Telles sont les différentes manières de se coucher mentionnées par Babhravya. Toutefois, il y en a d'autres qu'indique Suvarnanabha et que voici :

Lorsque la femme lève ses deux cuisses toutes droites, cela s'appelle la *position levante.*

Lorsqu'elle lève ses deux jambes et les place sur les épaules de son amant, cela s'appelle la *position béante.*

Lorsque les jambes sont contractées et maintenues ainsi par l'amant devant sa poitrine, cela s'appelle la *position pressée.*

Lorsqu'une des jambes seulement est étendue, cela s'appelle la *position demi-pressée.*

Lorsque la femme place une de ses jambes sur l'épaule de son amant et étend l'autre, puis met celle-ci à son tour sur l'épaule et étend la première, et ainsi de suite alternativement, cela s'appelle la *fente du bambou.*

Lorsqu'une des jambes est placée sur la tête et l'autre étendue, cela s'appelle la *pose d'un clou.* La pratique seule peut l'apprendre.

Lorsque les deux jambes de la femme sont contractées et placées sur son estomac, cela s'appelle la *position du crabe.*

Lorsque les cuisses sont élevées et placées l'une sur l'autre, cela s'appelle la *position en paquet.*

Lorsque les jambes sont placées l'une sur l'autre, cela s'appelle la *position en forme de lotus.*

Lorsqu'un homme, pendant le congrès, tourne en rond et jouit de la femme sans la quitter, la femme lui tenant toujours les reins embrassés, cela s'appelle la *position tournante ;* elle ne s'apprend que par la pratique.

Au dire de Suvarnanabha, ces différentes positions, couchée, assise et debout, doivent être pratiquées dans l'eau, parce qu'elles y sont plus faciles. Mais Vatsyayana est d'avis que le congrès dans l'eau n'est pas convenable, étant prohibé par la loi religieuse.

Lorsqu'un homme et une femme s'appuient sur le corps l'un de l'autre, ou sur un mur, ou sur un pilier, et se tenant ainsi debout engagent le congrès, cela s'appelle le *congrès appuyé*.

Lorsqu'un homme s'appuie contre un mur, et que la femme, assise sur les mains de l'homme réunies sous elle, passe ses bras autour de son cou et, collant ses cuisses le long de sa ceinture, se remue au moyen de ses pieds dont elle touche le mur contre lequel l'homme s'appuie, cela s'appelle le *congrès suspendu*.

Lorsqu'une femme se tient sur ses mains et ses pieds comme un quadrupède, et que son amant monte sur elle comme un taureau, cela s'appelle le *congrès de la vache*. A cette occasion, il y a lieu de faire sur le dos tout ce qui se fait ordinairement sur la poitrine.

On peut opérer de même le congrès du chien, le congrès de la chèvre, le congrès de la biche, le violent assaut de l'âne, le congrès du chat, le bond du tigre, la pression de l'éléphant, le frottement du sanglier et l'assaut du cheval, et dans tous les cas, on doit imiter les allures de chacun de ces différents animaux.

Ainsi finissent les diverses sortes de congrès. Il y a aussi, sur ce sujet, deux versets dont voici le texte :

" Une personne ingénieuse doit multiplier les sortes de congrès, en imitant les différentes espèces

113

de bêtes et d'oiseaux. Car ces différentes sortes de congrès, opérées suivant les usages de chaque pays et la fantaisie de chaque individu, engendrent l'amour, l'amitié et le respect dans le cœur des femmes. "

VII

DES DIVERSES MANIÈRES DE FRAPPER
ET DES SONS APPROPRIÉS

Le commerce sexuel peut être comparé à une querelle, à cause des contrariétés de l'amour et de sa tendance à tourner en dispute. L'endroit que l'on frappe avec passion est le corps, et sur le corps les endroits spéciaux sont :

Les épaules.
La tête.
L'espace entre les seins.
Le dos.
Le jaghana, ou partie médiane du corps.
Les côtés.

Il y a quatre manières de frapper, savoir :

Frapper avec le dos de la main.
Frapper avec les doigts un peu contractés.
Frapper avec le poing.
Frapper avec la paume de la main ouverte.

Les coups produisant de la douleur, il en résulte le son *sifflant,* qui est de diverses sortes, et les huit sortes de plaintes, savoir :

Le son Hinn.
Le son tonnant.
Le son roucoulant.
Le son pleurant.
Le son Phoutt.
Le son Phâtt.
Le son Soutt.
Le son Plâtt.

Outre cela, il y a aussi des mots qui ont un sens, tels que " Ma mère ! ", et ceux qui expriment prohibition, suffisance, désir de libération, douleur ou louange, auxquels on peut joindre des sons comme ceux de la colombe, du coucou, du pigeon vert, du perroquet, de l'abeille, du moineau, du flamant, du canard et de la caille, qui sont tous usités dans telle ou telle occasion.

Les coups de poing doivent être donnés sur le

dos de la femme, pendant qu'elle est assise sur les genoux de l'homme ; elle doit lui rendre ses coups, en l'invectivant comme si elle était en colère, avec accompagnement des sons *roucoulant* et *pleurant.* Lorsque le congrès est engagé on frappe l'espace entre les seins avec le dos de la main, lentement d'abord, puis de plus en plus vite, suivant que l'excitation augmente, jusqu'à la fin.

A ce moment on émettra les sons *Hinn* et autres, alternativement ou comme on voudra, suivant la coutume. Lorsque l'homme, faisant entendre le son *Phâtt,* frappe la femme sur la tête avec ses doigts un peu contractés cela s'appelle Prasritaka, ce qui veut dire : frapper avec les doigts un peu contractés. Dans ce cas, les sons appropriés seront le son roucoulant, le son *Phâtt* et le son *Phoutt* dans l'intérieur de la bouche, et, à la fin du congrès, les sons *soupirant* et *pleurant.* Le son *Phâtt* est une imitation du bruit que produit la cassure du bambou ; le son *Phoutt* ressemble au bruit d'une chose qui tombe dans l'eau. A chaque fois qu'on lui donne un baiser ou qu'on lui fait une caresse quelconque, la femme doit répondre par un son *sifflant.* Pendant l'action, si la femme n'est pas habituée à être frappée, elle murmure continuellement des mots qui expriment prohibition, suffisance ou désir de libération, ou des mots tels que : " Mon père ! " " Ma mère ! " entrecoupés des sons *soupirant, pleurant* et *tonnant.*

Vers la fin du congrès l'homme pressera fortement avec la paume des mains ouvertes, les seins, le jaghana et les côtés de la femme, et cela jusqu'à la fin ; et la femme fera alors entendre des sons tels que ceux de la caille ou de l'oie.

Il y a aussi, sur ce sujet, deux versets dont voici le texte :

" Les caractéristiques du sexe masculin sont, dans l'opinion générale, la rudesse et l'impétuosité, tandis que la faiblesse, la tendresse, la sensibilité, et une inclination à éviter les choses malplaisantes, sont les marques distinctives du sexe féminin. L'excitation de la passion et certaines particularités d'habitude peuvent quelquefois produire, en apparence, des résultats contraires ; mais l'état naturel finit toujours par reprendre le dessus. "

Aux quatre manières de frapper mentionnées plus haut, on peut ajouter l'emploi du coin sur la poitrine, des ciseaux sur la tête, de l'instrument perçant sur les joues, et des pinces sur les seins et sur les côtés, ce qui donne en tout huit manières. Mais ces quatre manières de frapper avec des instruments sont particulières aux gens des contrées méridionales, et l'on en voit les marques sur les seins de leurs femmes. Ce sont des particularités locales, mais

Vatsyayana est d'avis que la pratique en est douloureuse, barbare, vile, et qu'elle n'est pas du tout à imiter.

En règle générale, tout ce qui est particularité locale ne doit pas être adopté ailleurs sans examen ; et, même dans les pays où la pratique est prévalente, il faut toujours en éviter l'abus. Voici des exemples du danger de ces pratiques : Le roi des Panchalas tua la courtisane Madhavasena en se servant d'un coin pendant le congrès, Shatakarni Shatavahana, roi des Kuntalas, fit perdre la vie à sa grande reine Malayavati par l'emploi d'une paire de ciseaux, et Naradeva, dont la main était déformée, aveugla une jeune danseuse avec un instrument perçant mal dirigé.

Il existe encore, sur ce sujet, deux versets dont voici le texte :

" Relativement à ces choses, il ne peut y avoir ni énumération ni règle définie. Une fois le congrès commencé, la passion seule régit tous les actes des parties. "

Ces actions passionnées, ces gestes ou mouvements amoureux, qui naissent de l'excitation du moment, dans le congrès, ne sauraient être définis : ils sont irréguliers comme des songes. Un cheval qui a une fois atteint le cinquième degré de motion poursuit sa course avec une vitesse aveugle, sans regarder aux trous, aux fossés, aux poteaux qui peuvent barrer sa route : ainsi deux amants dans la chaleur du congrès ; la passion les aveugle, ils vont toujours, avec furie, sans s'inquiéter en rien de l'excès. Pour cette raison, l'homme qui possède à fond la science d'amour, et qui connaît sa propre force, comme aussi la tendresse, l'ardeur et la force de sa maîtresse, agira en conséquence. Les différents modes de jouissance ne sont pas pour tous les temps ni pour toutes les personnes ; on doit, pour les appliquer, consulter le temps, le pays et l'endroit.

VIII

DES FEMMES QUI JOUENT LE ROLE
DE L'HOMME ET DU TRAVAIL DE L'HOMME

Lorsqu'une femme voit son amant fatigué par un congrès prolongé, sans qu'il ait assouvi son désir, elle doit, avec sa permission, le renverser sur le dos et lui venir en aide en jouant son rôle. Elle peut le faire aussi pour satisfaire la curiosité de l'homme, ou son propre désir de nouveauté.

Il y a deux façons d'opérer : la femme pendant le congrès, tourne en rond et monte sur son amant, de manière à continuer l'action sans interrompre le plaisir ; ou bien elle joue le rôle de l'homme dès le commencement. Alors, sa chevelure dénouée mêlée de fleurs, souriante et haletante à la fois, elle appuiera les seins sur la poitrine de son amant, et, baissant fréquemment la tête, lui rendra ce qu'il lui faisait tout à l'heure, ses coups, ses invectives ; elle lui dira : " Tu m'as renversée, tu m'as moulue ; à mon tour de te renverser, de te moudre. " Puis elle aura de feintes pudeurs, se prétendra fatiguée, voudra cesser le congrès. Et elle fera ainsi le travail de l'homme, que nous allons maintenant exposer.

Tout ce que fait un homme pour donner du plaisir à une femme s'appelle le *travail de l'homme,* et voici en quoi il consiste :

La femme étant couchée sur le lit, et en quelque sorte absorbée par sa conversation, il dénouera sa jupe de dessous, et, si elle commence à l'invectiver, la fera taire en la couvrant de baisers. Alors, son lingam mis en érection, il promènera ses mains sur divers endroits et maniera délicatement certaines parties du corps. Si la femme est honteuse, et que ce soit la première fois qu'ils se rencontrent, l'homme glissera ses mains entre les cuisses, qu'elle voudrait probablement tenir serrées ; si c'est une très jeune fille, il devra d'abord s'emparer de ses seins, qu'elle voudrait probablement couvrir de ses propres mains, puis il lui passera les bras sous les aisselles et sur le cou. Si, au contraire, c'est une femme expérimentée, il fera ce qui pourra être agréable à l'un ou à l'autre et approprié à la circonstance. Ensuite il saisira sa chevelure, et lui tiendra le menton dans ses doigts pour lui donner des baisers. Là-dessus, si c'est une jeune fille, elle deviendra honteuse et fermera les yeux. Quel que soit le cas, la contenance de la femme lui indiquera ce qu'il devra faire pour lui rendre le congrès agréable.

Ici Suvarnanabha observe que, tout en faisant à la femme ce qu'il juge le plus convenable pendant le congrès, l'homme doit toujours avoir soin de presser les parties de son corps sur lesquelles elle tourne les yeux.

Les signes de jouissance et de satisfaction de la femme sont les suivants : son corps se relâche, elle ferme les yeux, oublie toute pudeur, et montre un désir croissant d'unir les organes aussi étroitement que possible. D'un autre côté, voici les signes auxquels on reconnaît qu'elle ne jouit pas et n'est pas satisfaite : elle choque ses mains, ne laisse pas l'homme se lever, semble abattue, mord l'homme, le frappe, et continue à s'agiter après que l'homme a fini. En pareil cas, l'homme doit lui frotter le yoni avec sa main et ses doigts (comme l'éléphant avec sa trompe) avant de réengager le congrès, jusqu'à ce que l'irritation soit calmée ; puis, il s'occupera d'introduire son lingam.

*
**

Si la femme est fatiguée, elle posera son front sur celui de son amant, et restera ainsi sans interrompre l'union des organes. Puis, quand elle sera reposée, l'homme se retournera et recommencera le congrès.

Il y a aussi, sur ce sujet, des versets dont voici le texte :

" Si réservée que soit une femme, et si bien caché qu'elle tienne ce qu'elle ressent, toutefois, lorsqu'elle monte sur un homme elle trahit son amour et toute sa passion. La contenance de la femme doit faire connaître à l'homme ses dispositions, et la manière dont elle veut qu'on jouisse d'elle. La femme qui est dans ses menstrues, la femme qui a récemment accouché et la femme grosse, ne doivent pas être autorisées à jouer le rôle de l'homme. "

IX

DE L'AUPARISHTAKA
OU CONGRÈS BUCCAL

Il y a deux sortes d'eunuques, les uns déguisés en hommes, les autres en femmes. Les eunuques déguisés en femmes imitent celles-ci en tout : costume, parler, gestes, gentillesse, timidité, simplicité, douceur et modestie. Les actes qui s'opèrent sur le *jaghana* ou partie médiane des femmes, se font dans la bouche de ces eunuques : c'est ce qu'on appelle *Auparishtaka*. Ces eunuques trouvent dans le congrès buccal un plaisir d'imagination, en même temps qu'un gagne-pain, et ils mènent la vie des courtisanes, ceux surtout qui sont déguisés en femmes.

Les eunuques déguisés en hommes tiennent leurs pratiques secrètes, et quand ils veulent exercer une profession, ils choisissent celle de masseur. Sous prétexte de vous masser, un eunuque de cette sorte embrasse et attire à lui les cuisses de son client, puis il lui touche les attaches des cuisses et le *jaghana*, ou les parties centrales du corps. Si, alors, il trouve le *lingam* en érection, il le presse de ses mains et le frotte pour le maintenir dans cet état. Si, après cela et connaissant son intention, le client ne dit pas à l'eunuque de continuer, celui-ci prend sur lui de le faire et commence le congrès. Si, au contraire, le client lui ordonne d'agir, il s'y refuse et ne consent enfin qu'avec difficulté.

Suit alors une série de huit opérations pratiquées l'une après l'autre par l'eunuque, savoir :

Congrès nominal.
Mordillage des côtés.
Pression extérieure.
Pression intérieure.
Baiser.
Polissage.
Succion de la mangue.
Absorption.

Chacune de ces opérations terminée, l'eunuque exprime son désir d'en rester là ; mais, après la première, le client veut la seconde, puis la troisième, et ainsi de suite.

— Lorsque, tenant le lingam de l'homme avec sa main, et le plaçant entre ses lèvres, l'eunuque le frôle de sa bouche, cela s'appelle *congrès nominal.*

— Lorsque, couvrant l'extrémité du lingam avec ses doigts rassemblés en forme de bouton de fleur, l'eunuque en presse les côtés avec ses lèvres, en se servant aussi des dents, cela s'appelle *mordillage des côtés.*

— Lorsque, sollicité de continuer, l'eunuque presse le bout du lingam avec ses lèvres serrées et le baise comme s'il voulait le tirer, cela s'appelle *pression extérieure.*

— Lorsque, sur une nouvelle invitation de poursuivre, il introduit le lingam plus avant dans sa bouche, le presse avec ses lèvres et ensuite le fait sortir, cela s'appelle *pression intérieure.*

— Lorsque, tenant le lingam dans sa main, l'eunuque le baise comme s'il baisait la lèvre inférieure, cela s'appelle *baiser.*

— Lorsque, après l'avoir baisé, il le caresse partout avec sa langue, et particulièrement sur l'extrémité, cela s'appelle *polissage.*

— Lorsque, continuant de la sorte, il en introduit la moitié dans sa bouche, le baise et le suce avec force, cela s'appelle *succion de la mangue*.

— Et enfin, lorsque, du consentement de l'homme, l'eunuque introduit le lingam tout entier dans sa bouche et le presse jusqu'à la racine comme s'il allait l'avaler, cela s'appelle *absorption*.

On peut aussi, pendant cette espèce de congrès, frapper, égratigner, etc.

L'Auparishtaka est également pratiqué par des femmes dissolues et libertines, et par des servantes non mariées, qui vivent de la profession de masseuse.

Le Acharyas (anciens et vénérables auteurs) sont d'avis que cet Auparishtaka est l'affaire d'un chien et non celle d'un homme, parce que c'est une pratique basse et prohibée par la Sainte Ecriture, et parce que l'homme lui-même souffre en mettant son lingam en contact avec les bouches des eunuques et des femmes. Mais Vatsyayana soutient que les prohibitions de la Sainte Ecriture ne s'appliquent pas à ceux qui fréquentent les courtisanes, et que la pratique de l'Auparishtaka n'est défendue qu'avec les femmes mariées. Quant au mal qui peut être fait à l'homme, il est aisément remédiable.

Les gens de l'Inde Orientale ne s'adressent pas aux femmes qui pratiquent l'Auparishtaka.

Les gens d'Ahichhatra s'adressent à ces femmes, mais s'abstiennent de tout commerce avec la bouche.

Les gens de Saketa ont avec ces femmes toute espèce de commerce buccal, tandis que ceux de Nagara s'en abstiennent, mais font tout le reste.

Les gens du pays de Shurasena, sur la rive méridionale du Djoumnah, font tout sans hésitation, car, disent-ils, les femmes étant malpropres de nature, personne ne peut être certain de leur caractère, de leur pureté, de leur conduite, de leurs pratiques, de leurs confidences ou de leurs discours. Il n'y a pas lieu, pour cela, de les délaisser ; en effet, la loi religieuse, sur l'autorité de laquelle elles sont réputées pures, établit que le pis d'une vache est propre au moment où on la trait, quoique la bouche d'une vache, et aussi la bouche de son veau, soient considérées comme malpropres par les Hindous. De même un chien est propre lorsqu'à la chasse il s'empare d'une biche, quoique la nourriture touchée par un chien soit d'ailleurs considérée comme très malpropre. Un oiseau est propre quand il fait tomber un fruit d'un arbre en le becquetant, quoique les objets mangés par des corbeaux ou autres oiseaux soient considérés comme malpropres. La bouche d'une femme, aussi, est propre pour donner ou recevoir des baisers, et pour d'autres actes semblables au moment du commerce sexuel. Vatsyayana, en fin de compte, estime que, dans toutes ces matières d'amour, chacun doit agir conformément aux usages de son pays et à sa propre inclination.

Il y a aussi, sur ce sujet, des versets dont voici le texte :

« Les serviteurs mâles de certains hommes pratiquent avec leurs maîtres le congrès buccal. Il y a aussi des citoyens qui, se connaissant bien les uns les autres, le pratiquent entre eux. Certaines femmes du harem, lorsqu'elles sont amoureuses, agissent de la bouche sur les *yonis* l'une de l'autre, et certains hommes font la même chose avec les femmes. Pour faire ceci (c'est-à-dire pour baiser le *yoni*), on imitera le baiser sur la bouche. Lorsqu'un homme et une femme sont couchés en sens inverse, c'est-à-dire la tête de l'un vers les pieds de l'autre, et se livrent à cette espèce de congrès, cela s'appelle le *congrès du corbeau.* »

Ces sortes de choses passionnent tellement certaines courtisanes, qu'elles abandonnent des amants distingués, honnêtes et instruits, pour s'attacher à des personnes de basse condition, telles que des esclaves et des conducteurs d'éléphants. L'Auparishtaka, ou congrès buccal, ne doit jamais être pratiqué par un Brahmane lettré, par un ministre chargé des affaires d'un Etat, par un homme de bonne réputation ; car, si la pratique en est permise par les Shastra, il n'y a pas de raison pour qu'on la mette en œuvre, si ce n'est dans des cas particuliers. Ainsi, par exemple, on mentionne dans les livres de médecine le goût, la force et les qualités digestives de la viande de chien, mais il ne s'ensuit pas que le sage doive en manger. Par contre, il y a des hommes, des lieux et des temps à l'égard desquels on peut user de ces pratiques. Un homme doit, en conséquence, considérer le lieu, le temps et la pratique qu'il s'agit d'opérer, si elle convient à sa nature et à lui-même ; après quoi il pourra ou non s'y livrer, selon les circonstances. Mais après tout, ces choses étant faites secrètement et l'esprit de l'homme étant variable, comment savoir ce que fera une personne dans tel ou tel temps et pour tel ou tel objet ?

X

DE LA MANIÈRE DE COMMENCER ET DE FINIR LE CONGRÈS. — DIFFÉRENTES SORTES DE CONGRÈS ET QUERELLES D'AMOUR

Dans la chambre de plaisir, décorée de fleurs et embaumée de parfums, le citoyen, en compagnie de ses amis et serviteurs, recevra la femme, qui viendra baignée et parée, et il l'invitera à se rafraîchir et à boire librement. Il la fera ensuite asseoir à sa gauche ; puis, prenant sa chevelure et touchant l'extrémité et le nœud de son vêtement, il l'embrassera délicatement avec son bras droit. Ils se livreront alors à une plaisante conversation sur différents sujets, et pourront aussi parler, à mots couverts, de choses qui seraient considérées comme peu séantes en société. Ils pourront chanter, avec ou sans gesticulations, jouer des instruments de musique, causer de beaux-arts, et s'exciter l'un l'autre à boire. Enfin, lorsque la femme n'en pourra plus d'amour et de désir, le citoyen renverra le monde qui sera autour de lui, donnant à chacun des fleurs, des onguents, des feuilles de bétel, et lorsqu'ils seront enfin seuls tous les deux, ils procéderont comme il a été décrit dans les précédents chapitres.

Tel est le commencement de l'union sexuelle. A la fin du congrès, les amants, avec modestie et sans se regarder l'un l'autre, iront séparément au cabinet de toilette. Ensuite, assis à leurs mêmes places, ils mangeront quelques feuilles de bétel, et le citoyen appliquera de sa propre main sur le corps de la femme un onguent de pur santal ou de quelque autre essence. Il l'embrassera alors de son bras gauche et, avec des paroles aimables, la fera boire dans une coupe qu'il tiendra dans sa propre main, où il lui donnera de l'eau à boire. Ils pourront manger des sucreries ou autres choses, à leur fantaisie, et boire des jus frais, du potage, du gruau, des extraits de viande, des sorbets, du jus de manguier, l'extrait du jus de citron mêlé de sucre, ou toute autre chose qui soit au goût du pays et connue pour être douce, agréable et pure. Les amants peuvent aussi s'asseoir sur la terrasse du palais ou de la maison, pour y jouir du clair de lune et se livrer à une agréable conversation. A ce moment aussi, la femme étant couchée sur ses genoux, le visage tourné vers la lune, le citoyen lui montrera les différentes planètes, l'étoile du matin,

l'étoile polaire, et les sept Rishis ou la Grande
Ourse.

Ainsi finit l'union sexuelle.

Le congrès est de différentes sortes, comme suit :
Congrès d'amour.
Congrès d'amour subséquent.
Congrès d'amour artificiel.
Congrès d'amour transféré.
Congrès à l'instar des eunuques.
Congrès décevant.
Congrès d'amour spontané.

— Lorsqu'un homme et une femme qui s'aiment
depuis un certain temps, se trouvent ainsi réunis
après de grandes difficultés ; ou lorsque l'un d'eux
revient de voyage ; ou lorsqu'ils se réconcilient après
s'être séparés à la suite d'une querelle, leur congrès
s'appelle le *congrès d'amour*. Il se pratique suivant
la fantaisie des amants, et aussi longuement qu'il
leur plaît.

— Lorsque deux personnes se réunissent, leur
amour mutuel étant encore dans l'enfance, leur
congrès s'appelle le *congrès d'amour subséquent*.

— Lorsqu'un homme pratique le congrès en

135

s'excitant lui-même au moyen des soixante-quatre manières, telles que le baiser, etc. ; ou lorsqu'un homme et une femme ont commerce ensemble, quoique chacun d'eux aime une personne différente, leur congrès s'appelle *congrès d'amour artificiel.* En pareil cas, il faut employer tous les procédés et moyens indiqués par les Kama Shastra.

— Lorsqu'un homme, du commencement à la fin du congrès, tout en opérant sur la femme, ne cesse de penser qu'il jouit d'une autre qui a son affection, cela s'appelle le *congrès d'amour transféré.*

— Le congrès entre un homme et une porteuse d'eau ou une servante de caste inférieure à la sienne, qui dure seulement jusqu'à ce que le désir soit satisfait, s'appelle *congrès à l'instar des eunuques.* On doit s'abstenir, dans ce cas, des attouchements extérieurs, des baisers et des diverses manipulations.

— Le congrès entre une courtisane èt un paysan, celui entre citoyens et villageoises ou femmes de banlieue, s'appelle *congrès décevant.*

— Le congrès entre deux personnes attachées l'une à l'autre, et qui s'effectue au gré de leur fantaisie, s'appelle *congrès spontané.*

Ainsi finissent les sortes de congrès.

Nous allons parler maintenant des querelles d'amour.

Une femme qui aime passionnément un homme ne peut souffrir d'entendre prononcer le nom de sa rivale, ni d'avoir aucune conversation à son sujet, ni d'être appelée de son nom par inadvertance. Si pareille chose arrive, alors commence une grande querelle : la femme pleure, se met en colère, agite sa chevelure, frappe son amant, tombe de son lit ou de son siège, et jetant à droite et à gauche guirlandes et ornements, s'étend de son long sur la terre.

L'amant, alors, doit essayer de l'apaiser par des paroles conciliantes, et en même temps, il la relèvera avec précaution et la mettra sur son lit. Mais elle, sans répondre à ses questions, avec une colère toujours croissante, courbera la tête de son amant en tirant ses cheveux, et, après l'avoir frappé une fois, deux fois, trois fois, sur le bras, la tête, la poitrine ou le dos, se dirigera vers la porte de la chambre. Suivant Dattaka, elle doit alors s'asseoir, l'air courroucé, près de la porte, et verser des larmes : mais elle ne doit pas sortir, pour éviter de se mettre dans son tort. Au bout d'un certain temps, lorsqu'elle juge que son amant a dit et fait tout ce qu'il pouvait pour se réconcilier, elle doit l'embrasser en lui faisant d'amers reproches, mais aussi en lui laissant voir un vif désir du congrès.

Lorsque la femme est dans sa propre maison et qu'elle s'est querellée avec son amant, elle doit aller à lui et lui témoigner toute sa colère, puis le quitter. Mais ensuite, le citoyen lui ayant envoyé le Vita, le Vidushaka ou le Pithamarda pour l'apaiser, elle doit revenir avec eux à la maison et passer la nuit avec son amant.

Ainsi finissent les querelles d'amour.

En résumé :

Un homme qui emploie les soixante-quatre moyens indiqués par Babhravya, atteint son but et s'assure la jouissance d'une femme de la plus haute qualité. Il aura beau disserter savamment sur d'autres sujets, s'il ne connaît pas les soixante-quatre divisions, il n'obtiendra que peu d'estime dans l'assemblée des lettrés. Un homme, dépourvu d'autre savoir, mais bien au courant des soixante-quatre divisions, aura la prééminence dans toute société d'hommes et de femmes. Comment ne pas respecter les soixante-quatre parties, si l'on considère qu'elles ont le respect des lettrés, des savants et des courtisanes ? C'est à raison de ce respect attaché aux soixante-quatre parties, du charme qu'elles possèdent et des mérites qu'elles ajoutent aux attraits naturels des femmes, que les Acharyas les appellent *chères aux femmes.*

Un homme versé dans les soixante-quatre parties est chéri de sa propre femme, des femmes des autres et des courtisanes.

FIN DE LA DEUXIÈME PARTIE

TROISIÈME PARTIE

DE L'ACQUISITION
D'UNE ÉPOUSE

I

DU MARIAGE

Lorsqu'une fille de la même caste, et qui est vierge, se marie conformément aux préceptes de la Sainte Ecriture, les résultats de cette union sont : l'acquisition de Dharma et d'Artha, la postérité, l'affinité, l'accroissement du nombre des amis et un amour sans nuages. Pour cette raison, l'homme doit choisir une fille de bonne famille, dont les parents soient vivants, et qui ait trois ans au plus de moins que lui. Il faut qu'elle appartienne à une famille hautement respectable, riche, en bonne position, entourée de nombreux parents et amis. Elle doit aussi être belle, bien douée, avec des signes de bon augure sur le corps ; les ongles, les dents, les oreilles, les yeux, les seins seront réguliers, tels qu'ils doivent être, ni plus, ni moins, et au complet ; le corps jouira d'une bonne santé. L'homme, naturellement, doit posséder lui-même ces qualités. Mais il ne faut point, dit Ghotakamukha, aimer une fille qui a déjà été unie à d'autres (c'est-à-dire qui n'est plus vierge), car ce serait une action répréhensible.

Maintenant, pour mener à bonne fin un projet de mariage avec une fille telle qu'on vient de la décrire, les parents et les amis de l'homme doivent faire tous leurs efforts, aussi bien que les amis des deux côtés dont l'assistance pourra être réclamée. Ces amis révéleront aux parents de la fille les défauts, présents et futurs, de tous les autres hommes qui peuvent la courtiser, et, en même temps, ils exalteront jusqu'à l'hyperbole les mérites de leur ami sous le rapport de ses ancêtres et de sa famille, de manière à le faire aimer des parents, et surtout de ceux qui peuvent être en meilleurs termes avec la mère de la fille. Un des amis pourra aussi se déguiser en astrologue, et pronostiquer l'heureuse fortune et la richesse future de son ami, en affirmant qu'il a pour lui tous les présages et signes de bonheur : bonne influence des planètes, entrée favorable du soleil dans tel ou tel signe du Zodiaque, étoiles propices, marques de bon augure sur son corps. D'autres enfin pourront éveiller la jalousie de la mère, en lui disant que son ami a des chances de trouver ailleurs encore mieux que sa fille.

Il convient de prendre une fille pour épouse, ou de

144

la donner en mariage, lorsqu'on est pleinement satisfait de la fortune, des signes, des présages et des
paroles des autres car, dit Ghotakamukha, un
homme ne doit pas se marier au premier caprice qui
lui en vient. On ne doit pas épouser une fille qui
dort, qui pleure, ou qui est sortie de la maison au
moment où on la demande en mariage, ou qui est
fiancée à un autre. On doit aussi éviter les suivantes :

Celle qui est tenue cachée.
Celle qui a un nom malsonnant.
Celle qui a le nez déprimé.
Celle qui a la narine relevée.
Celle qui a des formes de garçon.
Celle qui est courbée.
Celle qui a les cuisses tortues.
Celle qui a le front proéminent.
Celle qui a la tête chauve.
Celle qui n'aime pas la pureté.
Celle qui a été polluée par d'autres.
Celle qui est affectée du Gulma.
Celle qui est défigurée d'une façon quelconque.
Celle qui est arrivée à pleine puberté.
Celle qui est une amie.
Celle qui est une plus jeune sœur.
Celle qui est une Varshakari.

De même encore, une fille qui porte le nom d'une

des vingt-sept étoiles, ou le nom d'un arbre, d'une rivière, passe pour ne rien valoir, comme aussi une jeune fille dont le nom finit par un *r* ou *l*. Mais, au dire de quelques auteurs, on ne peut être heureux qu'en épousant une fille à laquelle on s'attache, et conséquemment, on ne doit pas épouser d'autre fille que celle qu'on aime.

Lorsqu'une fille devient bonne à marier, ses parents doivent l'habiller coquettement, et la produire partout où elle puisse être aisément vue de tous. Chaque après-midi, après l'avoir habillée et parée avec élégance, ils l'enverront avec ses jeunes compagnes aux sports, sacrifices et cérémonies de mariage, la faisant voir ainsi à son avantage, attendu qu'elle est une sorte de marchandise. Ils devront aussi accueillir, avec de bonnes paroles et des témoignages d'amitié, les personnes de favorable apparence que leurs parents ou leurs amis leur amèneraient en vue du mariage de leur fille : ils l'habilleront alors élégamment, sous un prétexte ou un autre, et la leur présenteront. Cela fait, ils attendront le bon plaisir de la fortune, et fixeront tel ou tel jour pour décider du mariage. Ce jour-là, lorsque les personnes seront arrivées, les parents de la fille les inviteront à se baigner et à dîner, et leur diront : " Tout viendra en son temps " ; et, sans donner immédiatement suite à la demande, ils renverront l'affaire à plus tard.

Lorsqu'un homme a de la sorte fait l'acquisition

d'une fille suivant l'usage du pays, ou d'après son propre désir, il doit l'épouser en se conformant aux préceptes de la Sainte Ecriture touchant l'une des quatre sortes de mariage.

Ainsi finit le mariage.

Il y a aussi, sur ce sujet, des versets dont voici le texte :

" Les amusements de sociétés, tels que de compléter des vers commencés par d'autres, les mariages et les cérémonies propitiatoires, ne doivent avoir lieu ni avec des supérieurs, ni avec des inférieurs, mais avec nos égaux. On dit qu'il y a *haute alliance,* lorsqu'un homme, après avoir épousé une fille, est obligé ensuite de la servir, elle et ses parents, comme un domestique, et une telle alliance est blâmée par les gens de bien. D'un autre côté, les sages qualifient de *basse alliance,* en la condamnant, le mariage d'un homme qui, de concert avec ses parents, agit en despote envers sa femme. Mais lorsque l'homme et la femme se rendent mutuellement agréables l'un à l'autre, et que les parents des deux côtés les respectent également, cela s'appelle une *alliance* dans le propre sens du mot. Un homme, donc, ne doit contracter ni une haute alliance qui l'obligerait ensuite à s'abaisser devant les parents, ni une basse alliance que tout le monde réprouve. "

II

DE LA CONFIANCE A INSPIRER A LA FILLE

Pendant les trois premiers jours qui suivront le mariage l'homme et la femme coucheront sur le plancher, s'abstiendront de plaisirs sexuels, et prendront leur nourriture en l'assaisonnant d'alcali ou de sel. Les sept jours suivants, ils se baigneront au son de joyeux instruments de musique, se pareront, dîneront ensemble, et feront des politesses à leurs parents et aux personnes qui auront pu assister à leur mariage. Ceci est applicable aux gens de toutes castes. Le soir du dixième jour, l'homme commencera à parler doucement à sa jeune femme, seul à seule, de façon à lui inspirer confiance. Quelques auteurs prétendent que pour la gagner entièrement, il ne doit pas lui parler de trois jours : mais, observent les disciples de Babhravya, si un homme reste muet pendant trois jours, il est à craindre que la jeune femme ne se dégoûte de le voir aussi inerte qu'un pilier, et, désenchantée, ne vienne à le mépriser comme un eunuque. Vatsyayana est d'avis que l'homme doit commencer par la gagner et lui inspirer confiance, mais qu'il doit s'abstenir d'abord des plaisirs sexuels. Les femmes, étant de nature douce, veulent qu'on les aborde avec douceur ; si elles ont à subir un assaut brutal d'hommes qu'elles connaissent à peine, elles en conçoivent quelquefois la haine de l'union sexuelle, quelquefois même la haine du sexe mâle. L'homme doit, en conséquence, approcher la jeune femme avec les ménagements qu'elle désire, et il emploiera les procédés capables de lui inspirer de plus en plus confiance. Ces procédés sont les suivants :

Il l'embrassera pour la première fois de la façon qui lui plaira le mieux, parce que cela ne dure pas longtemps.

Il l'embrassera avec la partie supérieure de son corps, parce que c'est plus facile et plus simple. Si la fille est d'un certain âge, ou si l'homme la connaît depuis quelque temps, il peut l'embrasser à la lueur d'une lampe, mais s'il ne la connaît pas bien, ou si c'est une toute jeune fille, il doit alors l'embrasser dans l'obscurité.

Lorsque la fille aura consenti à l'embrassement, l'homme lui mettra dans la bouche un *tambula* ou

morceau de noix de bétel, ou des feuilles de bétel ;
et si elle refuse de les prendre, il devra l'y engager
par des paroles conciliantes, des prières, des ser-
ments ; enfin, il s'agenouillera à ses pieds, car il est
de règle que, si ombrageuse ou irritée que soit une
femme, elle n'est jamais intraitable pour un homme
à genoux devant elle. Au moment où il donnera
ce *tambula*, il lui baisera la bouche doucement et
gracieusement, sans aucun son. Ce premier point
obtenu, il la fera parler, et, pour l'y engager, il lui
adressera des questions sur des choses qu'il ne
connaîtra pas ou prétendra ne pas connaître, et qui
n'exigeront qu'une courte réponse. Si elle ne lui
parle pas, il se gardera de la brusquer, mais il lui
fera de nouveau les mêmes questions sur un ton
conciliant. Si alors elle ne lui parle pas davantage,
il la pressera de répondre car, observe Ghotakamukha, " toutes les filles écoutent ce que les hommes
leur disent, mais elles-mêmes souvent ne disent pas
un seul mot ". Ainsi importunée, la fille répondra
enfin par un mouvement de tête ; tandis que, si
l'homme la querellait, elle ne ferait pas même cela.
Lorsque l'homme lui demandera s'il lui plaît et si
elle l'aime, elle gardera longtemps le silence ; à la
fin, pressée de s'expliquer, elle répondra affirmati-
vement par un signe de tête. Si l'homme la connaissait avant le mariage, il devra s'entretenir avec elle
par l'intermédiaire d'une amie qui peut lui être favo-

rable, et qui, ayant la confiance de l'un et de l'autre, tiendra la conversation des deux côtés. En pareille occasion, la fille sourira, la tête baissée ; et si l'amie en dit plus de sa part qu'elle ne désire, elle la grondera et lui cherchera dispute. L'amie dira par plaisanterie telle ou telle chose que la fille ne voudra pas être dite, en ajoutant : " Elle dit cela " ; sur quoi la fille dira prestement et gentiment : " Oh ! non, je n'ai pas dit cela " ; et alors elle sourira, et jettera sur l'homme un coup d'œil furtif.

Si la fille est familière avec l'homme, elle placera près de lui, sans rien dire, le *tambula,* l'onguent ou la guirlande qu'il peut avoir demandés, ou bien elle pourra les enfermer dans son vêtement de dessus. Pendant ce temps-là, l'homme lui touchera ses jeunes seins en pratiquant la pression sonore avec les ongles, et, si elle veut l'empêcher, il lui dira : " Je ne le ferai plus si vous m'embrassez ", et il l'amènera de cette façon à l'embrasser. Tandis qu'elle l'embrassera, il passera la main à diverses reprises sur tout son corps. Puis, tout doucement, il la mettra sur ses genoux et tâchera de plus en plus d'obtenir son consentement ; et, si elle ne veut pas céder, il l'effrayera en disant : " Je vais imprimer les marques de mes dents et de mes ongles sur vos lèvres et sur vos seins ; je ferai des marques semblables sur mon pauvre corps, et dirai à mes amis que c'est vous qui les avez faites. Que direz-vous alors ? " C'est de cette manière, ou à peu près, que se créent la crainte et la confiance dans l'esprit des enfants, et l'homme devra ainsi obtenir de la fille ce qu'il désire.

La seconde et la troisième nuit, lorsque la confiance se sera encore accrue, il lui touchera le corps tout entier avec ses mains et le baisera partout ; il mettra ses mains sur ses cuisses et les massera ; et s'il y réussit, il lui massera les jointures des cuisses. Si elle veut l'empêcher, il lui dira : " Quel mal y a-t-il à cela ? " et il lui persuadera de le laisser faire. Ce point gagné, il lui touchera ses parties secrètes, dénouera sa ceinture et le nœud de sa robe, et, relevant sa jupe de dessous, lui massera les jointures de ses cuisses nues. Il fera toutes ces choses sous différents prétextes, mais il ne devra pas encore commencer le congrès réel. Ensuite, il lui enseignera les soixante-quatre arts, lui dira combien il l'aime, et quelles espérances il caressait depuis longtemps à son égard. Il lui promettra aussi de lui être fidèle, dissipera toutes ses craintes au sujet de rivales, et enfin, après avoir vaincu sa timidité, il se mettra en devoir de jouir d'elle de manière à ne pas l'effrayer.

Telle est la façon d'inspirer confiance à la jeune femme.

Il y a, en outre, à ce sujet, quelques versets dont voici le texte :

" Un homme qui agit conformément aux inclinations d'une fille doit essayer de l'apprivoiser de telle sorte qu'elle puisse l'aimer et lui donner sa confiance. On ne réussit ni en suivant aveuglément l'inclination d'une fille, ni en s'y opposant tout à fait, mais il faut adopter un moyen terme. Celui qui sait se faire aimer des femmes, soigner leur honneur et leur inspirer confiance, celui-là est assuré de leur amour. Mais celui qui néglige une fille, parce qu'elle lui semble trop timide, n'obtient que son mépris : elle le regarde comme une bête qui ne sait pas gouverner l'esprit d'une femme. En outre une fille possédée de force par un homme qui ne connaît pas le cœur féminin devient nerveuse, inquiète, abattue, elle se prend soudain à détester l'homme qui l'a violentée, et alors, son amour n'étant pas compris ni payé de retour, elle tombe dans le désespoir, et devient l'ennemie du sexe mâle tout entier ; ou, si elle déteste particulièrement son mari, elle a recours à d'autres hommes. "

III

DE LA COUR ET DE LA MANIFESTATION DES SENTIMENTS PAR SIGNES ET ACTES EXTÉRIEURS

Un homme pauvre, doué de bonnes qualités, un homme né d'une famille de bas étage et doué de médiocres qualités, un voisin riche et un homme sous la dépendance de son père, de sa mère ou de ses frères, ne doivent pas se marier sans avoir eu soin de se faire aimer et estimer de la fille, dès leur enfance. Ainsi un garçon séparé de ses parents et qui vit dans la maison de son oncle, essayera de gagner la fille de son oncle, ou quelque autre fille, lors même qu'elle aurait été précédemment fiancée à un autre. Et cette façon de gagner une fille, dit Ghotakamukha, est irréprochable, parce qu'on peut ainsi acquérir Dharma, aussi bien que par toute autre espèce de mariage.

Lorsqu'un garçon aura de la sorte commencé à courtiser la fille qu'il aime, il passera son temps avec elle et l'amusera par différents jeux et divertissements convenables à son âge et à sa condition, tels que de cueillir et de rassembler des fleurs, tresser des guirlandes de fleurs, jouer le rôle de membre d'une famille fictive, faire cuire des aliments, jouer aux dés, aux cartes, à pair ou impair, à reconnaître le doigt du milieu, aux six cailloux, et aux autres jeux semblables qui pourront être en faveur dans le pays et plaire à la jeune fille. Il organisera, en outre, d'autres jeux auxquels participeront plusieurs personnes, tels que de jouer à cache-cache, aux graines, à cacher des objets dans différents petits tas de blé et à les chercher, à colin-maillard ; et divers exercices gymnastiques ou autres jeux de même sorte, en compagnie de la jeune fille, de ses amies et de ses servantes. L'homme devra aussi marquer une grande bienveillance pour telle ou telle femme que la jeune fille jugera digne de confiance, et il fera aussi de nouvelles connaissances ; mais, avant tout, il s'attachera par son amabilité et par de petits services la fille de la nourrice de sa préférée ; car s'il peut la gagner, lors même qu'elle viendrait à deviner son dessein, elle n'y mettra pas obstacle, et pourra plutôt faciliter l'union entre la jeune fille et lui. Et, tout en connaissant son véritable caractère, elle ne cessera de parler de ses bonnes qualités aux parents de la jeune fille, sans même qu'il l'en ait priée.

L'homme fera donc tout ce qui sera le plus agréable à la jeune fille, et lui procurera tout ce qu'elle peut désirer de posséder. Ainsi il lui donnera des jouets que la plupart de ses compagnes ne connaîtront pas. Il pourra aussi lui faire voir une boule revêtue de diverses couleurs et d'autres curiosités de même sorte ; il lui donnera des poupées en drap, en bois, en corne de buffle, en ivoire, en cire, en pâte ou en terre ; des ustensiles pour cuire les aliments, des figures en bois, telles qu'un homme et une femme debout, une paire de béliers, de chèvres ou de moutons ; aussi des temples en terre, en bambou, en bois, consacrés à différentes déesses ; des cages à perroquets, coucous, sansonnets, cailles, coqs et perdrix ; des vases à eau de formes élégantes et variées, des machines à lancer de l'eau, des guitares, des supports à images, des tabourets, de la laque, de l'arsenic rouge, de l'onguent jaune, du vermillon et du collyre ; enfin du bois de santal, du safran, des noix de bétel et des feuilles de bétel. Il lui donnera ces choses en différentes fois, lorsqu'il aura une bonne occasion de la rencontrer, et quelques-unes en particulier, quelques-unes en public, selon les circonstances. Bref, il essayera par tous les moyens de lui persuader qu'il est prêt à faire tout ce qu'elle désire.

Ensuite, il obtiendra d'elle un rendez-vous dans quelque endroit retiré, et alors, il lui dira que, s'il lui a donné des présents en secret, c'est dans la crainte de déplaire à ses parents et aux siens ; il ajoutera que ce qu'il lui a donné, d'autres l'avaient grandement désiré. Lorsque la jeune fille lui paraîtra l'aimer davantage, il lui racontera des histoires amusantes, si elle en exprime le désir. Ou bien, si elle prend plaisir aux tours de mains, il l'émerveillera par quelques bons jeux de passe-passe ; ou si elle semble très curieuse de voir un essai de différents arts, il lui montrera son adresse à les pratiquer. Si elle aime le chant, il lui fera de la musique ; et, à certains jours, lorsqu'ils iront ensemble aux foires, festivals de clair de lune, ou lorsqu'elle rentrera chez elle après une absence, il lui offrira des bouquets de fleurs, des ornements de tête et d'oreilles, des anneaux, car c'est en pareilles occasions que se doivent faire ces présents.

Il enseignera aussi à la fille de la nourrice, dans leur totalité, les soixante-quatre moyens de plaisir pratiqués par les hommes, et, sous ce prétexte, il lui fera connaître combien il est habile dans l'art de la jouissance sexuelle. Pendant tout ce temps, il portera un habit élégant et aura aussi bel air que possible, car les jeunes femmes aiment les hommes qui vivent avec elles et qui sont beaux, bien tournés et bien habillés. Quant à dire que, tout en ressentant de l'amour, les femmes ne font pas elles-mêmes d'efforts pour conquérir l'objet de leur affection, il serait oiseux d'insister là-dessus.

Maintenant, voici les signes et actes extérieurs par lesquels se trahit invariablement l'amour d'une jeune fille :

Elle ne regarde jamais l'homme en face, et rougit lorsqu'il la regarde ; sous un prétexte ou un autre, elle lui fait voir ses membres ; elle le regarde secrètement lorsqu'il s'éloigne d'elle ; baisse la tête lorsqu'il lui fait une question et lui répond par des mots indistincts et des phrases sans suite ; se plaît à rester longtemps dans sa compagnie ; parle à ses servantes sur un ton particulier, dans l'espoir d'attirer son attention, lorsqu'il se trouve à une certaine distance ; ne veut pas quitter le lieu où il est ; sous un prétexte ou sous un autre, lui fait regarder différentes choses, lui raconte des fables et des histoires très lentement, de manière à prolonger la conversation ; baise et embrasse devant lui un enfant assis sur ses genoux ; dessine des marques ornementales sur le front de ses servantes ; exécute des mouvements vifs et gracieux lorsque ses servantes lui parlent gaiement en présence de son amoureux ; se confie aux amis de son amant, leur montre respect et déférence ; est bonne pour ses domestiques, cause avec eux, les engage à faire leur devoir comme si elle était leur maîtresse, et les

159

écoute attentivement lorsqu'ils parlent de son amant
à quelque autre personne ; entre dans sa maison
lorsque la fille de sa nourrice l'y invite, et, par son
insistance, s'arrange pour causer et jouer avec lui ;
évite d'être vue par son amant lorsqu'elle n'est pas
habillée et parée ; lui envoie, par l'entremise de son
amie, ses ornements d'oreilles, son anneau et sa
guirlande de fleurs suivant le désir qu'il aura exprimé
de les voir ; porte continuellement quelque objet
qu'il peut lui avoir donné ; montre de la tristesse
quand ses parents lui parlent d'un autre prétendant,
et ne se mêle pas à la société des personnes qui
prennent le parti ou soutiennent les vues de ce
dernier.

Il y a aussi, sur ce sujet, quelques versets dont
voici le texte :

" Un homme qui s'est aperçu et s'est rendu
compte des sentiments d'une fille à son égard, et qui
a remarqué les signes et mouvements extérieurs
auxquels on reconnaît ces sentiments, doit faire tout
son possible pour s'unir avec elle. Il doit s'attacher
une toute jeune fille par des jeux enfantins, une
demoiselle plus âgée par son habileté dans les arts,
et une fille qui l'aime en ayant recours aux personnes qui ont sa confiance. "

IV

DES CHOSES QUE L'HOMME DOIT FAIRE SEUL, POUR S'ASSURER L'ACQUISITION DE LA FILLE. — PAREILLEMENT, DE CE QUE DOIT FAIRE LA FILLE POUR DOMINER L'HOMME ET SE L'ASSUJETTIR

Or, quand la jeune fille commence à montrer son amour par des signes et mouvements extérieurs, ainsi qu'il est décrit dans le précédent chapitre, l'amant doit essayer de la conquérir entièrement par différents moyens, tels que les suivants :

Au cours des jeux et divertissements auxquels tous deux prendront part, il lui tiendra la main avec intention. Il pratiquera sur elle les différentes sortes d'embrassements, par exemple, l'embrassement touchant, et autres dont il est parlé dans un précédent chapitre. Il lui fera voir un couple de figurines humaines découpées dans une feuille d'arbre, et autres choses du même genre, par intervalles. Dans les sports aquatiques, il plongera à une certaine distance d'elle, et reparaîtra tout près. Il se montrera épris du nouveau feuillage des arbres, et d'autres choses semblables. Il lui décrira les tourments qu'il endure pour elle. Il lui racontera le beau rêve qu'il a fait à l'occasion d'autres femmes. Dans les parties et assemblées de sa caste, il s'assiéra près d'elle et la touchera sous un prétexte ou sous un autre : et, après avoir placé son pied sur le sien il touchera lentement chaque orteil et pressera les extrémités des ongles ; s'il y réussit, il saisira son pied avec la main et répétera la même chose. Il pressera aussi entre ses orteils un doigt de la main, lorsque la jeune fille se lavera les pieds ; et, chaque fois qu'il lui fera un cadeau ou en recevra un d'elle, sa contenance et ses regards lui exprimeront l'intensité de son amour.

Il répandra sur elle l'eau qu'il aura reçue pour rincer sa bouche ; et, s'il se trouve avec elle dans un lieu solitaire, ou dans l'obscurité, il lui fera l'amour, et lui dira le véritable état de son esprit sans l'affliger d'aucune façon.

Chaque fois qu'il sera assis avec elle sur le même siège ou le même lit, il lui dira : " J'ai quelque chose à vous dire en particulier ", et alors, si elle consent à l'écouter dans un endroit tranquille, il lui exprimera son amour par des signes plutôt que par des paroles. Lorsqu'il connaîtra bien ses sentiments à son égard, il se prétendra malade et la fera venir chez lui pour lui parler. Alors il lui prendra intentionnellement la main et la portera sur ses yeux et sur son front, et, sous prétexte de se préparer quelque médecine, il la priera de se charger de l'ouvrage en ces termes : " C'est à vous de faire cette besogne, à vous, et à nul autre. " Quand elle devra se retirer, il la laissera partir, en la priant de revenir le voir. Ce semblant de maladie sera continué pendant trois jours et trois nuits. Dans la suite, comme elle prendra l'habitude de venir souvent le voir, il tiendra avec elle de longues conversations, car, dit Ghotaka-mukha, " si passionnément qu'un homme aime une fille, il ne vient jamais à bout d'en triompher sans une grande dépense de paroles ". Enfin, lorsque l'homme trouve la fille entièrement conquise, il peut alors commencer à en jouir. Quant à dire que les femmes se montrent moins timides qu'à l'ordinaire le soir, la nuit, et dans l'obscurité, qu'elles sont à ces moments-là désireuses du congrès, qu'elles ne s'opposent plus aux hommes et qu'il faut en jouir seulement à ces heures-là, c'est pur bavardage.

Lorsqu'un homme ne pourra, par lui seul, arriver à ses fins, il devra, au moyen de la fille de la nourrice, ou d'une amie en qui elle a confiance, se faire amener la jeune fille sans lui révéler son dessein, et il procédera de la manière ci-dessus décrite. Ou bien, dès le début, il enverra sa propre servante vivre avec elle comme demoiselle de compagnie, et celle-ci lui en facilitera la conquête.

A la fin, lorsqu'il sera édifié sur ses sentiments par sa contenance extérieure et par sa conduite envers lui dans les cérémonies de mariage, les foires, les festivals, les théâtres, les assemblées publiques et autres occasions semblables, il devra commencer à en jouir quand elle se trouvera seule ; car Vatsyayana pose en principe que, si l'on s'adresse aux femmes en temps convenable et en lieu convenable, elles ne sont jamais infidèles à leurs amants.

Une jeune fille, douée de bonnes qualités et bien élevée, quoique née d'une famille de classe inférieure ou sans fortune, et qui n'est pas, en conséquence, recherchée de ses égaux ; ou bien une orpheline, privée de ses parents, mais observant les règles de sa famille et de sa caste, doit, lorsqu'elle est venue à l'âge de se marier et qu'elle songe à s'établir, faire des efforts pour s'attacher un jeune homme fort et de bonne apparence, ou tel autre qu'elle croira pouvoir épouser, par faiblesse d'esprit, et même sans le consentement de ses parents. Elle emploiera dans ce but les moyens propres à s'en faire aimer et cherchera toutes les occasions de le voir et de le rencontrer. Sa mère aussi ne négligera rien pour les réunir, au moyen de ses amies et de la fille de sa nourrice. La jeune fille elle-même s'arrangera pour se trouver seule avec son bien-aimé dans quelque endroit tranquille, et tantôt elle lui donnera des fleurs, tantôt une noix de bétel, des feuilles de bétel et des parfums. Elle lui montrera aussi son adresse dans la pratique des arts, dans le massage, l'égratignure et la pression des ongles. Enfin elle l'entretiendra des sujets qu'elle affectionne, et discutera avec lui des voies et moyens à employer pour conquérir l'amour d'une jeune fille.

Mais, suivant d'anciens auteurs, si ardente que soit l'affection d'une jeune fille pour un homme, elle ne doit pas s'offrir elle-même ni faire les premières ouvertures, car une fille qui agit de la sorte s'expose à être méprisée et rebutée. Seulement, lorsque l'homme paraît désirer d'en jouir, elle doit lui être favorable, ne montrer aucun changement de contenance lorsqu'il l'embrasse, et recevoir toutes les manifestations de son amour comme si elle ignorait à quoi il veut en venir. Lorsqu'il voudra lui donner des baisers, toutefois, elle s'y opposera ; lorsqu'il la priera de lui permettre l'union sexuelle, elle lui laissera tout au plus toucher ses parties secrètes, et encore avec beaucoup de difficulté ; et, quelles que soient ses importunités, elle ne lui cédera pas de son plein gré, mais résistera aux efforts qu'il fait pour l'avoir. C'est seulement quand elle sera certaine qu'elle est vraiment aimée, que son amant lui est tout à fait dévoué et qu'il ne changera pas, qu'elle s'abandonnera à lui, en lui persuadant de l'épouser promptement. Après avoir perdu sa virginité, elle en fera confidence à ses amies intimes.

Ainsi finissent les efforts d'une jeune fille pour conquérir un homme.

Il y a aussi sur ce sujet des versets dont voici le texte :

" Une jeune fille qui est recherchée doit épouser l'homme qu'elle aime et qu'elle pense lui devoir être obéissant et capable de lui donner du plaisir. Mais si, dans un but intéressé, des parents marient leur fille à un homme riche, sans se préoccuper du caractère et de l'apparence du fiancé, ou encore s'ils la donnent à un homme qui a plusieurs femmes, elle ne s'attache jamais à son mari, lors même qu'il serait doué de bonnes qualités, obéissant, actif, robuste, sain de corps et désireux de lui plaire de toutes les façons. Un mari obéissant, mais toutefois maître de lui-même, encore bien qu'il soit pauvre et n'ait pas bonne apparence, est préférable à tel autre qui est commun à plusieurs femmes, si beau et si attrayant que soit ce dernier. Les femmes mariées à des hommes riches qui ont beaucoup de femmes ne leur sont généralement pas attachées et ne leur donnent pas leur confiance ; et, bien qu'elles jouissent de tous les agréments extérieurs de la vie, elles n'en ont pas moins recours à d'autres hommes. Un homme d'esprit grossier, ou tombé de sa position sociale, ou trop porté à voyager, ne mérite pas qu'on l'épouse ; de même celui qui a beaucoup de femmes et d'enfants, ou qui aime passionnément les sports et les jeux et ne vient trouver sa femme que rarement, quand cela lui plaît. De tous les amants d'une fille, celui-là seul est son vrai mari qui possède les qualités par elle préférées, et un tel mari aura seul une véritable supériorité sur elle, parce que c'est le mari d'amour. "

V

DES DIFFÉRENTES FORMES DE MARIAGE

Lorsqu'une jeune fille ne peut souvent voir son amant en particulier, elle doit lui envoyer la fille de sa nourrice, étant bien entendu qu'elle a confiance en elle et qu'elle l'a préalablement gagnée à ses intérêts. Dans sa conversation avec l'homme, la fille de la nourrice lui vantera la naissance de la jeune fille, son heureux caractère, sa beauté, ses talents, son adresse, sa maturité d'esprit et son affection, mais de façon à ne pas lui laisser soupçonner qu'elle vient de sa part ; elle excitera ainsi dans le cœur de l'homme de l'amour pour la jeune fille. A celle-ci, en retour, elle parlera des excellentes qualités de l'homme, et spécialement de celles qu'elle sait lui être agréables. Elle parlera aussi, en termes défavorables, des autres amants de la jeune fille, criti-

169

quera l'avarice et l'indiscrétion de leurs parents, le peu de consistance de leurs familles. Elle citera des exemples de filles des anciens temps, telles que Sacountala et d'autres, qui, s'étant unies avec des amants de leur propre caste et de leur propre choix, furent toujours heureuses dans leur société. Elle parlera aussi d'autres filles qui, mariées dans de grandes familles et bientôt tourmentées par des épouses rivales, devinrent misérables, et, finalement, furent abandonnées. Enfin, elle parlera de l'heureuse fortune, de la prospérité inaltérable, de la chasteté, de l'obéissance et de l'affection de l'homme, et si la jeune fille en devient amoureuse, elle s'efforcera de rassurer sa pudeur, de dissiper ses craintes ou ses soupçons relativement à quelque malheur qui pourrait résulter de son mariage. En un mot, elle remplira exactement le rôle d'une messagère, en instruisant la jeune fille de tout ce qu'elle saura de l'amour de l'homme, des endroits qu'il fréquente, des efforts qu'il a faits pour la rencontrer, en lui répétant souvent : " Tout ira au mieux si l'homme vous enlève de force à l'improviste. "

Formes de mariage

Lorsqu'une jeune fille sera conquise et se comportera ouvertement avec l'homme comme si elle était sa femme, l'homme fera venir du feu de la maison d'un Brahmane, et après avoir semé sur la terre de l'herbe *Kuska* et offert un sacrifice au feu, il l'épousera suivant les préceptes de la loi religieuse. Ensuite il informera du fait ses parents ; car, dans l'opinion d'anciens auteurs, un mariage solennellement contracté en présence du feu ne peut être ultérieurement annulé.

Après la consommation du mariage, les parents de l'homme se rendront graduellement compte de l'affaire ; et les parents de la fille seront aussi informés avec des ménagements propres à gagner leur consentement et à leur faire oublier la manière dont le mariage a été conclu. Ce point obtenu, on achèvera la réconciliation par d'aimables présents et des procédés respectueux. C'est ainsi que l'homme doit épouser une fille, conformément à la forme *Gandharva* de mariage.

Si une fille ne peut se décider, ou si elle ne veut pas exprimer qu'elle est prête à se marier, l'homme en viendra à ses fins par l'un des moyens suivants :

1. A la première occasion favorable, et sous quelque prétexte, il devra, par l'intermédiaire d'une amie qu'il connaît bien et à laquelle il peut se fier, et qui est aussi bien connue de la jeune fille, la faire amener inopinément chez lui. Alors il ira chercher

du feu dans la maison du Brahmane, et procédera comme il est décrit plus haut.

2. Si le mariage de la jeune fille avec quelque autre personne s'annonce comme prochain, l'homme fera tous ses efforts pour discréditer le futur époux dans l'esprit de la mère. Alors, ayant obtenu de la mère d'emmener la jeune fille dans une maison voisine, il ira chercher du feu dans la maison d'un Brahmane, et procédera comme ci-dessus.

3. L'homme devra se faire le grand ami du frère de la jeune fille, ledit frère étant du même âge que lui, adonné aux courtisanes et occupé d'intrigues avec les femmes d'autrui ; il lui prêtera son assistance en tout cela, et, à l'occasion, il lui fera aussi des présents. Il lui dira alors combien il est épris de sa sœur ; et l'on sait que les jeunes gens sont prêts à tout sacrifier, même leur vie, pour ceux qui peuvent avoir leur âge, leurs habitudes et leurs goûts. Ensuite, il se fera amener la jeune fille, par le moyen de son frère, dans quelque endroit sûr, où, après avoir été chercher du feu de Brahmane, il procédera comme ci-dessus.

4. A l'occasion des festivals, l'homme fera donner à la jeune fille, par la fille de sa nourrice, quelque substance enivrante, et alors il la fera venir dans

un lieu sûr sous un prétexte quelconque ; et là, après en avoir joui avant que son ivresse ne soit dissipée, il apportera du feu de la maison d'un Brahmane, et procédera comme plus haut.

5. L'homme, de connivence avec la fille de la nourrice, enlèvera la jeune fille de sa maison pendant qu'elle est endormie : et alors, après en avoir joui avant son réveil, il apportera du feu de la maison d'un Brahmane, et procédera comme plus haut.

6. Si la jeune fille se rend à un jardin, ou à quelque village des environs, l'homme, assisté de ses amis, tombera sur ses gardiens, et, les ayant tués ou mis en fuite, il l'enlèvera de force et procédera comme ci-dessus.

Il y a, sur ce sujet, des versets dont voici le texte : " Pour les formes de mariage indiquées dans le présent chapitre, celle qui précède est meilleure que celle qui suit, parce qu'elle s'accorde davantage avec les préceptes de la religion, et en conséquence, c'est seulement lorsqu'il est impossible de pratiquer la première qu'il est permis de recourir à la seconde. Comme le fruit de tout bon mariage est l'amour, la forme de mariage *Gandharva* est respectée, lors même qu'elle aurait été pratiquée dans des circonstances défavorables, parce qu'elle remplit le but qu'on se propose. Une cause de la faveur attribuée à la forme de mariage *Gandharva,* c'est qu'elle procure le bonheur, occasionne moins d'embarras que les autres formes, et qu'elle est essentiellement le résultat d'un amour préalable. "

FIN DE LA TROISIÈME PARTIE

QUATRIÈME PARTIE

DE L'ÉPOUSE

I

DE LA MANIÈRE DE VIVRE D'UNE FEMME VERTUEUSE ET DE SA CONDUITE PENDANT L'ABSENCE DE SON MARI

Une femme vertueuse, qui a de l'affection pour son mari, doit agir selon ses désirs, comme s'il était un être divin ; avec son consentement, elle prendra sur elle toute la charge de la famille. Elle tiendra la maison entière bien propre, y disposera, dans les différentes pièces, des fleurs de sortes et nuances variées, et rendra le plancher uni et poli, de manière à donner au tout un air de propreté et de décence. Autour de la maison elle entretiendra un jardin, où elle déposera, toutes prêtes à être utilisées, les matiè-res requises pour les sacrifices du matin, de midi et du soir. En outre, elle honorera elle-même, dans leur sanctuaire, les Dieux Domestiques ; car, observe Gonardiya, " rien n'attache le cœur d'un chef de

maison à sa femme comme la scrupuleuse observation des règles ci-dessus fixées ".

A l'égard des parents, alliés, amis, sœurs et domestiques de son mari, elle agira suivant leurs mérites.
Dans le jardin, elle plantera des couches de légumes
verts, des bouquets de canne à sucre, des corbeilles
de figuiers, du sénevé, du persil, du fenouil, et du
xanthochymus pictorius. Elle y cultivera aussi différentes fleurs, telles que la *trapa bispinosa,* le jasmin,
le *gasminum gradiflorum,* l'amarante jaune, le
jasmin sauvage, la *tabernamontana coronaria,* le
nadyworta, la rose de Chine, et autres. Il y aura
également le gazon parfumé *andropogon schœnan-
thus,* et la racine parfumée de la plante *andropogon
miricatus.* Enfin le jardin contiendra des arbres et
des sièges, et, au milieu, un puits, bassin ou réser-
voir.

La maîtresse de maison devra toujours éviter la
compagnie des mendiantes, Bouddhistes ou autres,
des femmes débauchées et fourbes, des diseuses de
bonne aventure et des sorcières. Pour les repas, elle
tiendra toujours compte de ce que son mari aime
ou n'aime point, de ce qui lui fait du bien et de ce
qui lui fait du mal. Aussitôt qu'elle entend le bruit
de ses pas lorsqu'il rentre à la maison, elle doit se
lever, prête à faire ce qu'il lui ordonnera, et com-
mander à ses servantes de lui laver les pieds, si elle
ne les lui lave elle-même. Toutes les fois qu'elle

sortira avec lui, elle mettra ses ornements ; et ce ne sera jamais sans son consentement qu'elle donnera ou acceptera des invitations, assistera aux mariages et aux sacrifices, siégera en compagnie de ses amies, ou visitera les temples des Dieux. Et si elle désire participer à un jeu ou sport quelconque, elle consultera toujours sa volonté. De même, elle s'assiéra toujours après lui et se lèvera avant lui, et ne l'éveillera jamais lorsqu'il dormira. La cuisine sera située dans une pièce tranquille et retirée, de façon que les étrangers n'y aient point accès, et elle aura toujours un air de propreté.

Au cas où son mari se serait mal conduit, elle ne devra pas le blâmer avec excès, quel que puisse être son déplaisir. Elle n'usera pas envers lui d'un langage injurieux, mais lui fera des reproches mêlés de paroles conciliantes, qu'il soit avec des amis ou seul. Et surtout, elle ne sera pas querelleuse, car, dit Gonardiya, " il n'y a rien qui dégoûte un mari comme ce travers chez une femme ". Elle évitera de mal parler, de regarder en dessous, de causer à part, de rester devant la porte à épier les passants, de bavarder dans un endroit solitaire ; et, finalement, elle tiendra toujours son corps, ses dents, ses cheveux et tout ce qui lui appartient, nets, élégants et propres.

Lorsque la femme désirera s'approcher de son mari en particulier, elle aura un costume richement orné, avec différentes sortes de fleurs, et une robe de couleurs variées ; elle exhalera de bonnes odeurs d'onguents et de parfums. Mais son costume de tous les jours consistera dans une robe légère, d'un tissu serré, avec quelques fleurs et ornements, et un peu d'odeurs, sans excès. Elle doit observer les jeûnes et les vœux de son mari, et s'il essaie de l'en empêcher, elle doit le persuader de la laisser faire.

A certaines époques de l'année, lorsque ces objets seront à bon marché, elle achètera de la terre, des bambous, du bois à brûler, des peaux, des vases en fer, et aussi de l'huile et du sel. Les substances odorantes, les vaisseaux faits du fruit de la plante *wrightea antidysenteria* ou *wrightea* à feuilles ovales, les médicaments et autres objets dont on a constamment besoin, seront achetés en temps convenable et serrés dans un endroit secret de la maison. Les graines de radis, de patate, de betterave commune, d'absinthe indienne, de manguier, de concombre, d'aubergine, de *kushmanda,* de citrouille, de *surana,* de *bignonia Indica,* de bois de santal, de *premna spinosa,* d'ail, d'oignon et autres légumes seront achetées et semées dans leur saison.

La femme mariée ne devra pas dire aux étrangers le montant de sa fortune, ni les secrets que son mari lui aura confiés. Elle surpassera toutes les femmes de son rang par son adresse, son bon air, sa connaissance de la cuisine, la dignité de sa tenue et sa manière de servir son mari. La dépense de l'année sera réglée sur les profits. Le lait restant après les repas sera converti en beurre clarifié. L'huile et le sucre seront préparés à la maison ; on y filera, on y tissera ; et on y aura toujours une provision de cordes et de ficelles, ainsi que des écorces d'arbres à tresser en cordes. Elle s'occupera aussi du pilage et de l'épuration du riz, dont elle employera les petits grains et la paille à divers usages. Elle payera les salaires des domestiques, surveillera la culture des champs, les troupeaux, la construction des véhicules, et prendra soin des béliers, coqs, cailles, perroquets, sansonnets, coucous, paons, singes et biches ; et, finalement, elle arrêtera le revenu et la dépense du jour. Elle donnera les vêtements usés aux domestiques qui auront bien travaillé, pour leur faire voir qu'elle apprécie leurs services, ou bien elle en fera tel ou tel autre usage. Elle visitera soigneusement les vaisseaux dans lesquels on prépare le vin, aussi bien que ceux où on le renferme, et elle les mettra au rebut le cas échéant. Elle surveillera aussi toutes les ventes et achats. Elle accueillera gracieusement les amis de son mari en leur offrant des fleurs, des onguents, de l'encens, des feuilles de bétel et des noix de bétel. Elle aura pour son beau-père et sa belle-mère les égards qui leur sont dus, condescendant toujours à leur volonté, ne les contredisant jamais, leur parlant en peu de mots, mais sans sécheresse, ne riant pas bruyamment en leur présence, et agissant avec leurs amis ou leurs ennemis comme les siens propres. En outre, elle ne devra pas être vaine, ni trop préoccupée de ses plaisirs. Elle sera libérale envers ses domestiques, et les récompensera les jours de fêtes et de festivals ; enfin, elle ne donnera rien sans en avoir d'abord informé son mari.

Ainsi finit la manière de vivre d'une femme vertueuse.

Pendant l'absence de son mari en voyage, la femme vertueuse ne gardera sur elle que ses ornements porte-bonheur, et elle observera les jeûnes en l'honneur des Dieux. Si anxieuse qu'elle soit d'avoir des nouvelles de son mari, elle n'en sera pas moins attentive aux soins du ménage. Elle dormira dans le voisinage des femmes les plus âgées de la maison, et s'appliquera à leur être agréable. Elle soignera et tiendra en bon état les objets affectionnés par son mari, et continuera les ouvrages qu'il aura commencés. Elle n'ira chez ses parents et amis qu'à l'occasion d'une réjouissance, ou d'un deuil, et alors elle s'y rendra dans son costume ordinaire de voyage, accompagnée des serviteurs de son mari, et n'y restera pas longtemps. Elle observera les jeûnes et les fêtes avec l'assentiment des plus âgés de la maison. Elle augmentera les ressources en faisant des achats et des ventes suivant la pratique des marchands, et au moyen d'honnêtes domestiques, qu'elle surveillera elle-même. Le revenu sera augmenté, et la dépense diminuée autant que possible. Et lorsque son mari reviendra de voyage, elle le recevra d'abord dans son costume ordinaire, de façon qu'il puisse voir comment elle s'est tenue pendant son absence, et elle lui apportera quelques présents, comme aussi des matières pour les sacrifices à offrir aux Dieux.

Ainsi finit ce qui a trait à la conduite d'une femme, pendant l'absence de son mari en voyage.

Il y a aussi, sur ce sujet, des versets dont voici le texte :

" La femme, qu'elle soit une fille de famille noble, ou une veuve vierge remariée, ou une concubine, doit mener une vie chaste, être dévouée à son mari, et ne rien négliger pour son bien-être. Les femmes qui agissent ainsi acquièrent Dharma, Artha et Kama, obtiennent une haute position, et s'attachent généralement le cœur de leur mari. "

II

DE LA CONDUITE DE LA PLUS ANCIENNE ÉPOUSE ENVERS LES AUTRES ÉPOUSES DE SON MARI, ET DE LA PLUS JEUNE ÉPOUSE ENVERS LES PLUS ANCIENNES : DE LA CONDUITE D'UNE VEUVE VIERGE REMARIÉE ; D'UNE ÉPOUSE REBUTÉE PAR SON MARI ; DES FEMMES DANS LE HAREM DU ROI ; ET ENFIN DE LA CONDUITE D'UN ÉPOUX ENVERS PLUSIEURS FEMMES.

Les causes de nouveau mariage pendant la vie d'une femme sont les suivantes :

La folie ou le mauvais caractère de la femme.
Le dégoût que son mari éprouve pour elle.
Le défaut de prospérité.
La naissance continuelle de filles.
L'incontinence du mari.

Dès le début du mariage, une femme doit faire ses efforts pour s'attacher le cœur de son mari, en se montrant toujours dévouée, de bonne humeur et sage. Si, toutefois, elle ne lui procure pas d'enfants, elle doit conseiller elle-même à son mari d'épouser une autre femme. Et lorsque la seconde femme est épousée et installée à la maison, la première lui donnera une position supérieure à la sienne propre, et la regardera comme une sœur. Le matin, la plus ancienne forcera la plus jeune à se parer en présence de leur mari, et elle ne sera nullement jalouse des attentions que le mari aura pour elle. Si la plus jeune fait quelque chose qui déplaise au mari, la plus ancienne ne la négligera pas, mais elle sera toujours prête à lui donner ses meilleurs avis, et lui apprendra à faire différentes choses en présence du mari. Elle traitera ses enfants comme les siens propres ; aura plus d'égards pour ses servantes que pour les siennes ; sera aimante et bonne pour ses amis, et honorera grandement ses parents.

S'il y a plusieurs autres femmes en outre d'elle-même, la plus ancienne épouse s'alliera avec celle qui vient immédiatement après elle en rang et en âge, et excitera la femme qui a récemment joui des faveurs du mari à chercher querelle à la favorite du jour. Puis elle la plaindra, et après avoir réuni les autres femmes elle les engagera à dénoncer la favorite comme une femme intrigante et méchante, mais sans toutefois se commettre en rien. Si la favorite vient à se quereller avec le mari, alors la plus ancienne épouse prendra son parti et lui donnera de faux encouragements, de façon à envenimer la querelle. Si la querelle n'est que très légère, elle fera en sorte de l'aggraver. Mais si, après tout cela, elle voit que le mari continue à aimer sa favorite, elle changera de tactique, et s'efforcera d'amener entre eux une réconciliation, afin d'éviter le déplaisir du mari.

Ainsi finit la conduite de la plus ancienne épouse.

La plus jeune femme regardera la plus ancienne épouse de son mari comme sa mère, et ne donnera rien, même à ses parents, sans l'en avoir informée. Elle lui fera part de tout ce qui la concerne, et n'approchera du mari qu'avec sa permission. Elle ne révélera à personne les secrets que la plus ancienne épouse lui confiera, et elle prendra des enfants de celle-ci un soin plus grand encore que des siens propres. Lorsqu'elle sera seule avec son mari, elle le servira bien, mais ne lui parlera pas du chagrin que lui fait éprouver l'existence d'une rivale. Elle pourra aussi obtenir secrètement du mari quelques marques de son affection particulière, et lui dira qu'elle ne vit que pour lui et pour les égards qu'il lui témoigne. Elle ne confiera à personne son amour pour son mari, ni l'amour de son mari pour elle, soit par orgueil, soit par colère ; car une femme qui révèle les secrets de son époux encourt son mépris. Quant à chercher à obtenir les faveurs de son mari, Gonardiya dit que ceci doit toujours se faire en particulier, par crainte de la plus ancienne femme. Si la plus ancienne femme est rebutée de son mari, ou stérile, elle lui marquera de la sympathie, et priera le mari d'être bon pour elle ; mais elle s'efforcera de la surpasser en menant la vie d'une chaste épouse.

Ainsi finit la conduite de la plus jeune femme envers la plus ancienne.

Une veuve pauvre ou de faible nature, et qui s'allie de nouveau à un homme s'appelle une veuve remariée.

Les disciples de Babhravya disent qu'une veuve vierge ne doit pas épouser un homme qu'elle pourrait être obligée de quitter, soit à cause de son mauvais caractère, soit parce qu'il serait dépourvu des qualités essentielles de l'homme. Gonardiya est·d'avis que, si une veuve se remarie, c'est dans l'espoir d'être heureuse ; et comme le bonheur dépend surtout des excellentes qualités du mari, jointes à l'amour du plaisir, le mieux pour elle est de choisir tout d'abord un homme qui possède ces qualités. Vatsyayana, toutefois, estime qu'une veuve peut épouser qui lui plaît, et qui lui paraît capable de la rendre heureuse.

Au moment du mariage, la veuve doit demander à son mari l'argent nécessaire pour défrayer les parties à boire, les pique-niques avec les parents, les cadeaux à leur donner ainsi qu'aux amis ; ou bien, si elle le préfère, elle fera tout cela à ses propres frais. De même, elle pourra porter soit les ornements de son mari, soit les siens. Quant aux présents d'affection à échanger mutuellement avec son mari, il n'y a pas là-dessus de règle fixe. Si, après le mariage, elle quitte son mari de son propre mouvement, elle devra lui restituer tout ce qu'il lui aura donné, à l'exception des présents mutuels. Mais si elle était chassée de la maison par son mari, elle n'aurait rien à lui rendre.

Après le mariage, elle vivra dans la maison de son mari comme un des principaux membres de la famille ; mais elle traitera les autres femmes avec bonté, les domestiques avec générosité, et tous les amis de la maison avec familiarité et bonne humeur. Elle fera voir qu'elle est plus instruite dans les soixante-quatre arts que les autres femmes de la maison ; et si elle a une querelle avec son mari, elle ne le rudoyera pas, mais en particulier, se prêtera à tout ce qu'il désire et mettra en œuvre les soixante-quatre façons de la jouissance. Elle sera obligeante pour les autres femmes de son mari, donnera des cadeaux à leurs enfants, leur servira de maîtresse et leur fera des ornements et des jouets. Elle aura plus de confiance dans les amis et les serviteurs de son mari que dans ses autres femmes ; et, finalement, elle sera toujours empressée pour les parties à boire, les pique-niques, les foires et les festivals, et pour toutes sortes de jeux et d'amusements.

Ainsi finit la conduite de la veuve remariée vierge.

Une femme que son mari n'aime pas et que les autres femmes persécutent et font souffrir, doit s'allier avec la femme préférée du mari et qui l'assiste plus assidûment que les autres, et lui enseigner tous les arts qu'elle connaît elle-même. Elle servira de nourrice aux enfants de son mari, et, après s'être concilié ses amis, lui fera savoir par leur entremise à quel point elle lui est dévouée. Dans les cérémonies religieuses, les vœux, les jeûnes, elle prendra l'initiative, sans concevoir d'elle-même une trop bonne opinion. Lorsque son mari sera couché sur son lit, elle n'ira le trouver que si cela lui est agréable, ne lui fera jamais de reproches, et ne lui montrera aucune mauvaise humeur. Si le mari est en querelle avec une de ses femmes, elle les réconciliera, et s'il désire voir quelque femme secrètement elle s'occupera de ménager le rendez-vous. Elle cherchera en outre à se rendre compte des points faibles du caractère de son mari, mais elle les tiendra toujours secrets et, en général, se conduira de telle façon qu'il puisse la considérer comme une femme bonne et dévouée.

Ici finit la conduite de la femme qui n'est pas aimée de son mari.

On voit, dans les paragraphes ci-dessus, comment doivent se conduire toutes les femmes du sérail du

Roi ; nous n'avons donc plus à parler séparément du Roi.

Les femmes employées dans le harem, auxquelles on donne les noms particuliers de *Kanchukiyas, Mahallrikas,* et *Mahallicas,* doivent offrir au Roi, de la part de ses épouses, des fleurs, des onguents et des habits ; et le Roi, après avoir reçu ces objets, en fera des cadeaux aux servantes, ainsi que des objets qu'il aura portés le jour précédent. Dans l'après-midi le Roi, habillé et revêtu de ses ornements, visitera les femmes du harem qui seront aussi habillées et parées de leurs bijoux. Alors, après avoir assigné à chacune telle ou telle place et leur avoir séparément marqué ses égards, suivant l'occasion et leur mérite personnel, il entretiendra avec elles une agréable conversation. Ensuite il visitera celles de ses femmes qui peuvent être des veuves vierges remariées, et, après elles, les concubines et les danseuses. Toutes les visites, pour ces trois dernières catégories, auront lieu dans la chambre particulière de chacune.

Lorsque le Roi s'éveille de sa sieste de midi, la femme qui a pour mission de lui indiquer celle de ses épouses qui devra passer la nuit avec lui, vient le trouver, accompagnée des suivantes de cette épouse, dont le tour peut avoir été passé par erreur, et de celle qui a pu se trouver indisposée au moment de son tour. Ces suivantes déposent devant le Roi les onguents et parfums envoyés par chacune de ces épouses et scellés de leur anneau ; elles lui disent leurs noms et les motifs qui leur font envoyer ces onguents. Là-dessus, le Roi accepte l'onguent de l'une d'elles, qui en est informée et sait ainsi que son jour est arrivé.

Aux festivals, exercices de chant et cérémonies publiques, toutes les épouses du Roi doivent être traitées avec respect, et il leur sera servi des boissons.

Mais il ne doit pas être permis aux femmes du harem de sortir seules, et aucune femme étrangère au harem ne pourra y pénétrer, si ce n'est celles dont le caractère sera bien connu. Enfin l'ouvrage que les épouses du Roi ont à faire ne doit pas être trop fatigant.

Ainsi finit la conduite du Roi envers les femmes de son harem, et la conduite des femmes à son égard.

Un homme qui a plusieurs épouses doit agir loyalement envers toutes. Il ne sera ni indifférent ni trop indulgent pour leurs défauts, et il ne révélera pas à l'une d'elles l'amour, la passion, les imperfections corporelles, ni les défectuosités secrètes de l'autre. Il ne leur laissera aucune occasion de lui parler de leurs rivales, et si l'une d'elles commence à mal parler d'une autre, il la reprendra en lui disant qu'elle a exactement les mêmes défauts de caractère. Il plaira à l'une par des confidences intimes, à une autre par des égards particuliers, à une troisième par quelque flatterie secrète, et à toutes en allant aux jardins, en les amusant, en leur faisant des cadeaux, honorant leur famille, leur disant des secrets, et enfin en ayant du goût pour les unions. Une jeune femme de bonne humeur, et qui se conduit suivant les préceptes de l'Ecriture Sainte, s'assure l'attachement de son mari et l'emporte sur ses rivales.

Ainsi finit la conduite d'un mari qui a plusieurs épouses.

FIN DE LA QUATRIÈME PARTIE

CINQUIÈME PARTIE

DES ÉPOUSES D'AUTRUI

I

DES CARACTÉRISTIQUES DES HOMMES ET DES FEMMES. — POURQUOI LES FEMMES RÉSISTENT AUX POURSUITES DES HOMMES. — DES HOMMES QUI ONT DU SUCCÈS AUPRÈS DES FEMMES, ET DES FEMMES DONT LA CONQUÊTE EST FACILE

On peut s'adresser aux épouses d'autrui dans les occasions déjà énumérées au chapitre V de la Ire partie de cet ouvrage : mais avant tout il convient d'examiner la possibilité de leur acquisition, leur aptitude à la cohabitation, le danger de s'unir avec elles, et l'effet consécutif de ces unions. Un homme peut s'adresser à l'épouse d'autrui afin de sauver sa propre vie, lorsqu'il s'aperçoit que son amour pour elle augmente graduellement d'intensité. Ces degrés d'intensité sont au nombre de dix, et se reconnaissent aux symptômes suivants :

— Amour de l'œil.
— Attachement de l'esprit.
— Réflexion constante.

— Absence de sommeil.
— Emaciation du corps.
— Dégoût des plaisirs et divertissements.
— Mise à l'écart de la pudeur.
— Folie.
— Défaillance.
— Mort.

D'anciens auteurs disent qu'un homme doit se rendre compte des dispositions, de la sincérité, de la pureté et des instincts d'une jeune femme, comme aussi de l'intensité ou de la faiblesse de ses passions, en observant la forme de son corps et certains signes ou marques caractéristiques. Mais Vatsyayana est d'avis que la forme du corps et les signes ou marques caractéristiques ne sont ici que des indices trompeurs, et qu'il faut juger les femmes d'après leur conduite, l'expression extérieure de leurs pensées et les mouvements de leurs corps.

Maintenant, en règle générale, Gonikaputra dit qu'une femme s'éprend d'amour pour tout bel homme qu'elle voit, et de même fait un homme à la vue d'une belle femme ; mais souvent ils ne vont pas plus loin, pour divers motifs. En amour, les circonstances consécutives sont particulières à la femme. Elle aime sans regarder au juste ou à l'injuste, et n'essaye pas de conquérir un homme pour atteindre simplement tel ou tel objet. De plus, si un homme l'aborde le premier, elle s'en éloigne naturellement, lors même qu'elle serait au fond disposée à s'unir avec lui. Mais si les efforts de l'homme pour la gagner sont répétés et renouvelés, elle finit par consentir. L'homme, au contraire, a beau s'être d'abord épris d'amour, il maîtrise ses sentiments par des considérations de moralité et de sagesse, et, quoiqu'il pense souvent à la femme, il ne cède pas, même aux efforts qu'elle fait pour le gagner. Quelquefois il fait de son côté un effort pour conquérir l'objet de ses affections, et, s'il échoue, il ne s'en occupe plus. Il arrive aussi que la femme une fois gagnée, il devient indifférent pour elle. Quant à dire qu'un homme ne se soucie pas de ce qui est aisément gagné, et ne désire que ce qu'il ne peut obtenir sans peine, il serait oiseux d'insister.

Les causes qui font repousser à une femme les poursuites d'un homme sont les suivantes :

— Affection pour son mari.
— Désir de postérité légale.
— Manque d'occasion.
— Colère d'être abordée trop familièrement par un homme.
— Différence des rangs sociaux.
— Manque de certitude, à cause de l'habitude qu'a l'homme de voyager.

199

— Soupçon que l'homme puisse être attaché à quelque autre personne.

— Crainte que l'homme ne tienne pas ses intentions secrètes.

— Pensée que l'homme est trop dévoué à ses amis, et qu'il a trop de condescendance pour eux.

— Appréhension qu'il ne soit pas sérieux.

— Sorte de honte parce que c'est un homme illustre.

— Crainte qu'il ne soit puissant, ou d'une passion impétueuse, dans le cas de la femme-biche.

— Sorte de honte parce qu'il est trop habile.

— Souvenir d'avoir vécu avec lui en termes amicaux seulement.

— Mépris de son manque de connaissance du monde.

— Défiance de son vil caractère.

— Indignation de ce qu'il ne paraît pas s'apercevoir de son amour pour lui.

— Dans le cas d'une femme-éléphant, supposition que c'est un homme-lièvre ou de faible passion.

— Crainte qu'il ne lui arrive quelque malheur à cause de sa passion.

— Défiance d'elle-même et de ses propres imperfections.

— Peur d'être découverte.

— Désillusion en lui voyant les cheveux gris ou l'air mesquin.

— Crainte qu'il ne soit poussé par son mari pour éprouver sa chasteté.

— Supposition qu'il soit trop scrupuleux en fait de moralité.

Quelle que soit la cause que l'homme arrive à deviner, il doit, dès le début, s'efforcer de la détruire. Ainsi, la honte que peuvent produire sa grande position ou ses talents, il la combattra en faisant preuve d'un amour passionné. Si la femme allègue le manque d'occasion ou la difficulté de pénétrer jusqu'à lui, il lui indiquera quelque moyen d'accès facile. Si elle a pour lui un respect excessif, il l'enhardira en se faisant très familier. Si elle le soupçonne d'avoir un caractère vil, il lui prouvera sa valeur et sa sagesse. A l'accusation de négligence, il opposera un surcroît d'attentions et à la crainte, les encouragements propres à la dissiper.

Les hommes qui obtiennent généralement du succès auprès des femmes sont les suivants :

— Les hommes très versés dans la science d'amour.

— Les hommes habiles à raconter des histoires.

— Les hommes familiarisés avec les femmes depuis leur enfance.

— Les hommes qui ont captivé leur confiance.

— Les hommes qui leur font des présents.

— Les hommes qui parlent bien.

— Les hommes qui font les choses à leur goût.

— Les hommes qui n'ont pas précédemment aimé d'autres femmes.

— Les hommes qui jouent le rôle de messagers.

— Les hommes qui connaissent leurs côtés faibles.

— Les hommes qui sont désirés par d'honnêtes femmes.

— Les hommes qui sont en relations avec leurs amies.

— Les hommes qui ont bon air.

— Les hommes qui ont été élevés avec elles.

— Les hommes qui sont leurs voisins.

— Les hommes qui sont adonnés aux plaisirs sexuels encore bien que ce soient leurs propres domestiques.

— Les amants des filles de leur nourrice.

— Les hommes récemment mariés.

— Les hommes qui aiment les pique-niques et parties de plaisir.

— Les hommes d'un caractère libéral.

— Les hommes connus pour être très forts (hommes-taureaux).

— Les hommes entreprenants et braves.

— Les hommes qui surpassent leur mari en savoir et bon air, en qualités et en libéralité.

— Les hommes dont l'habillement et la manière de vivre sont magnifiques.

Les femmes qui sont aisément conquises sont les suivantes :

— Les femmes qui se tiennent à la porte de leur maison.

— Les femmes qui sont toujours à regarder dans la rue.

— Les femmes qui passent leur temps à bavarder dans la maison du voisin.

— Une femme qui a constamment les yeux sur vous.

— Une messagère.

— Une femme qui vous regarde de côté.

— Une femme dont le mari a pris une autre femme sans juste raison.

— Une femme qui déteste son mari, ou qui en est détestée.

— Une femme qui n'a personne pour la surveiller et la maintenir.

— Une femme qui n'a pas eu d'enfants.

— Une femme dont la famille ou caste n'est pas bien connue.

— Une femme dont les enfants sont morts.

— Une femme qui aime beaucoup la société.

— Une femme qui est, en apparence, très affectionnée pour son mari.

— La veuve d'un acteur.

— Une veuve.

— Une femme pauvre.

— Une femme qui aime les plaisirs.

— La femme d'un homme qui a plusieurs frères plus jeunes que lui.

— Une femme vaniteuse.

— Une femme dont le mari lui est inférieur en rang et en talents.

— Une femme dont l'esprit est troublé par la folie de son mari.

— Une femme qui, dans son enfance, a été mariée à un homme riche, et qui ne l'aimant pas lorsqu'elle grandit, désire un homme plus à son goût par ses qualités de caractère, ses talents et sa sagesse.

— Une femme que son mari maltraite sans cause.

— Une femme qui n'est pas respectée d'autres femmes, ses égales en rang ou en beauté.

— Une femme dont le mari passe son temps à voyager.

— La femme d'un joaillier.

— Une femme jalouse.

— Une femme cupide.

— Une femme immorale.

— Une femme stérile.

— Une femme paresseuse.

— Une femme lâche.
— Une femme bossue par-derrière.
— Une femme naine.
— Une femme contrefaite.
— Une femme vulgaire.
— Une femme qui sent mauvais.
— Une femme malade.
— Une vieille femme.

Il y a aussi, sur ce sujet, deux versets dont voici le texte :

" Le Désir, inspiré par la nature, accru par l'art, et dont la sagesse écarte tout danger, devient ferme et sûr. Un homme adroit, confiant dans son habileté, qui observe soigneusement les idées et les sentiments des femmes, et qui sait détruire les causes de leur éloignement des hommes, est généralement heureux avec elles. "

II

DES MOYENS D'ABORDER UNE FEMME
ET DES EFFORTS A FAIRE
POUR LA CONQUÉRIR

D'anciens auteurs sont d'avis que les jeunes filles se laissent moins facilement séduire par l'entremise de messagères, que par l'action personnelle de l'homme ; mais que les femmes mariées, au contraire, cèdent plus facilement aux intermédiaires qu'à l'amant lui-même. Vatsyayana, lui, estime que, toutes les fois que cela est possible, l'homme doit agir de son propre chef et c'est seulement lorsqu'il y a impossibilité absolue de ce faire, qu'on doit recourir à l'office des messagères. Quant à dire que les femmes qui agissent hardiment et librement cèdent aux efforts personnels de l'homme, et que celles qui ne possèdent pas ces qualités cèdent à des messagères, c'est pure plaisanterie.

Or, quand un homme agit lui-même, en cette

matière, il doit, avant tout, faire la connaissance de la femme qu'il aime, de la manière suivante :

Il s'arrangera pour être vu de la femme, dans quelque occasion naturelle ou spéciale. L'occasion est naturelle lorsque l'un d'eux se rend à la maison de l'autre ; elle est spéciale lorsqu'ils se rencontrent chez un ami, ou un compagnon de caste, ou une ministre, ou un médecin, soit aux cérémonies de mariage, aux sacrifices, aux festivals, aux funérailles et aux parties de jardin.

Quel que soit le moment où ils se rencontrent, l'homme doit avoir soin de regarder la femme de telle façon qu'elle puisse deviner l'état de son esprit ; il tirera sa moustache, produira un son avec ses ongles, fera tinter ses bijoux, mordra sa lèvre inférieure, et fera d'autres signes de la même sorte. Lorsqu'elle le regardera, il parlera d'elle et d'autres femmes à ses amis, et il se montrera libéral, ami des plaisirs. S'il est assis à côté d'une femme de sa connaissance, il bâillera, se tortillera le corps, contractera ses sourcils, parlera très lentement comme s'il était fatigué, et l'écoutera avec indifférence. Il pourra aussi entretenir, avec un enfant ou quelque autre personne, une conversation à double sens, qui paraîtra se rapporter à une tierce personne, mais qui, en réalité, aura pour objet la femme qu'il aime ; et de cette façon il lui fera connaître son amour, en ayant l'air de s'occuper des autres plus que d'elle-même. Il fera sur la terre, avec ses ongles ou avec un bâton, des marques qui s'adresseront à elle ; il embrassera et baisera un enfant en sa présence, lui donnera avec sa langue le mélange de noix de bétel et de feuilles de bétel et lui pressera le menton avec ses doigts d'une manière caressante. Il fera tout cela en temps et en lieu convenables.

L'homme caressera un enfant assis sur les genoux de la femme, et lui donnera quelque jouet, qu'il lui reprendra ensuite. Il pourra aussi entretenir avec elle une conversation au sujet de cet enfant, et de la sorte il se familiarisera graduellement avec elle ; il s'étudiera aussi à se rendre agréable à ses parents. La connaissance, une fois faite, deviendra un prétexte pour la visiter souvent dans sa maison ; et alors il causera de quelque sujet d'amour, elle absente, mais assez près cependant pour qu'elle puisse l'entendre. L'intimité grandissant, il lui confiera une sorte de dépôt ou gage, dont il retirera de temps à autre une petite portion ; ou bien il lui donnera quelques substances parfumées ou des noix de bétel pour qu'elle les lui garde. Après cela, il fera son possible pour la mettre en bonnes relations avec sa propre femme, les engagera à causer confidentiellement et à s'asseoir ensemble dans les lieux solitaires. Afin de la voir fréquemment, il s'arrangera de manière que les deux familles aient le même orfèvre, le même joaillier, le même vannier, le même teinturier et le même blanchisseur. Et il lui fera ouvertement de longues visites sous le prétexte de quelque affaire qu'il traite avec elle : et une affaire en amènera une autre de façon à les maintenir toujours en relations. Si elle désire quelque chose, si elle a besoin d'argent, ou si elle veut acquérir de l'adresse dans tel ou tel art, il lui insinuera qu'il a la volonté et le pouvoir de faire tout ce qu'elle désire, de lui donner de l'argent, ou de lui enseigner tel ou tel art, tout cela étant dans ses moyens. Il entretiendra avec elle des discussions, en compagnie d'autres personnes, parlera de ce qui a été dit et fait par d'autres, examinera différents objets, tels que des joyaux, des pierres précieuses, etc. A ces occasions, il lui montrera certaines choses qu'elle pourra ne point connaître, et si elle vient à être en désaccord avec lui sur les choses elles-mêmes ou sur leur valeur, il ne la contredira pas, mais assurera qu'il est de son avis sur tous les points.

Ainsi finissent les manières de faire connaissance avec la femme qu'on désire.

Maintenant, lorsqu'une jeune fille est familiarisée avec un homme ainsi qu'il est décrit plus haut, et qu'elle lui a manifesté son amour par les différents signes extérieurs et les mouvements de son corps, l'homme doit faire tous ses efforts pour la posséder. Mais comme les jeunes filles n'ont pas l'expérience de l'union sexuelle, il convient de les traiter avec la plus grande délicatesse, et l'homme devra user de grandes précautions. Ceci n'est pas nécessaire, bien entendu, avec les autres femmes qui sont accoutumées au commerce sexuel. Lorsque les intentions de la jeune fille ne seront plus douteuses et qu'elle aura mis de côté sa pudeur, l'homme commencera à faire usage de son argent et ils échangeront ensemble des vêtements, des anneaux et des fleurs. En ceci, l'homme prendra un soin tout particulier à ce que ses cadeaux soient beaux et précieux. Elle lui donnera aussi un mélange de noix de bétel et de feuilles de bétel, et s'il se rend à quelque partie de plaisir, il lui demandera la fleur qu'elle a aux cheveux ou celle qu'elle porte à la main. Si c'est lui-même qui lui donne une fleur, elle aura un doux parfum et sera marquée de signes qu'il y aura imprimés avec ses ongles ou ses dents. Progressivement et graduellement, il dissipera ses craintes, et finira par la conduire dans quelque lieu solitaire, où il l'embrassera et la baisera. Enfin, à l'occasion d'une noix de bétel qu'il en recevra, ou d'un échange de fleurs qu'ils feront ensemble, il lui touchera et pressera les parties secrètes, donnant ainsi à ses efforts une conclusion satisfaisante.

Lorsqu'un homme a entrepris de séduire une femme, il ne doit pas essayer d'en séduire une autre dans le même temps. Mais après avoir réussi avec la première, et en avoir joui durant un laps de temps considérable, il peut entretenir son affection en lui faisant des cadeaux qui lui plaisent et commencer dès lors le siège d'une autre femme. Si un homme voit le mari d'une femme qu'il aime aller à quelque endroit près de sa maison, il s'abstiendra de jouir de la femme lors même qu'elle pourrait être facilement gagnée à ce moment-là. Un homme sage, et qui a le souci de sa réputation, ne songera pas à séduire une femme peureuse, timide, de caractère léger, bien surveillée, ou qui possède un beau-père ou une belle-mère.

III

EXAMEN DE L'ÉTAT D'ESPRIT
D'UNE FEMME

Lorsqu'un homme essaye de séduire une femme, il doit examiner son état d'esprit et agir comme il va être dit :

Si elle l'écoute, sans toutefois lui manifester en aucune manière ses propres intentions, il essayera de la gagner au moyen d'une entremetteuse.

Si elle le rencontre une fois, et qu'elle vienne de nouveau à le rencontrer, mieux habillée qu'auparavant, ou si elle va le trouver dans quelque endroit solitaire, il peut être certain qu'avec un peu de violence il arrivera à ses fins. Une femme qui laisse un homme lui faire la cour, mais ne lui cède pas, même après un long temps, peut être considérée comme une tricheuse en amour ; cependant, vu l'inconstance de l'esprit humain, il sera possible de triompher d'une telle femme, si l'on entretient toujours avec elle d'étroites relations.

Lorsqu'une femme évite les attentions d'un homme et, soit par respect pour lui, soit par orgueil personnel, ne veut ni le rencontrer ni l'approcher, on pourra cependant, quoique avec difficulté, en venir à bout, soit en s'efforçant de se familiariser avec elle, soit en se servant d'une très habile entremetteuse.

Lorsqu'un homme fait la cour à une femme, et qu'elle le repousse avec des mots injurieux, il doit sur-le-champ y renoncer.

Lorsqu'une femme repousse un homme, mais en même temps lui témoigne par ses actes de l'affection, il faut lui faire l'amour de toute manière.

Une femme qui rencontre un homme dans les endroits solitaires, et qui le laisse la toucher de son pied, tout en ayant l'air, à cause de l'indécision de son esprit, de ne pas s'en apercevoir, pourra être gagnée avec de la patience et des efforts persévérants, comme il va être dit :

S'il arrive qu'elle dorme dans son voisinage, il l'enlacera de son bras gauche, et, à son réveil, il observera si elle le repousse sérieusement, ou seulement de façon à laisser voir qu'elle ne demande pas mieux qu'il recommence. Et ce qui se fait avec le bras peut aussi se faire avec le pied. Si l'homme réussit en ce point, il l'embrassera plus étroitement ; et si elle ne veut pas rester embrassée et se lève, mais se conduit avec lui de même sorte le jour suivant, il en conclura qu'elle n'est pas éloignée de lui céder. Si toutefois elle ne reparaissait pas, l'homme essayera de la gagner au moyen d'une entremetteuse ; et si, après avoir disparu quelque temps, elle réapparaît de nouveau et se conduit comme à l'ordinaire, il en conclura qu'elle n'a plus d'objection à s'unir à lui.

Lorsqu'une femme offre à un homme une occasion et lui manifeste son amour, il se mettra en devoir d'en jouir. Les manières dont une femme manifeste son amour sont les suivantes :

— Elle s'adresse à un homme sans qu'il lui ait parlé le premier.

— Elle se montre à lui dans des endroits secrets.

— Elle lui parle en tremblant et avec des mots inarticulés.

— Elle a les doigts de la main et les orteils des pieds moites de transpiration, et son visage rayonne de plaisir.

— Elle s'occupe à lui masser le corps et à lui presser la tête.

— En le massant, elle ne travaille que d'une main seulement, et avec l'autre elle touche et embrasse certaines parties de son corps.

— Elle reste les deux mains placées sur son

corps, sans remuer, comme si quelque chose l'avait surprise ou si elle était épuisée de fatigue.

— De temps en temps elle penche son visage sur ses cuisses, et s'il la prie de les lui masser, elle n'y manifeste aucune répugnance.

— Elle place une de ses mains tout à fait sans mouvement sur son corps, et quoique l'homme la tienne pressée entre deux de ses membres, elle ne la retire pas de longtemps.

— Enfin, lorsqu'elle a résisté à tous les efforts de l'homme pour en venir à bout, elle revient le trouver le jour suivant pour lui masser de nouveau le corps.

Lorsqu'une femme ne donne point d'encouragement à un homme et ne l'évite pas non plus, mais se tient cachée dans quelque endroit solitaire, on pourra la gagner au moyen d'une servante de son voisinage. Si, appelée par l'homme, elle tient la même conduite, il faudra recourir alors à une habile entremetteuse. Mais si elle refuse de rien faire dire à l'homme, il devra bien réfléchir avant de continuer ses poursuites.

Ainsi finit l'examen de l'état d'esprit d'une femme.

Un homme doit s'introduire le premier auprès d'une femme, et alors tenir avec elle une conversation. Il lui fera quelques ouvertures d'amour, et si, d'après ses réponses, il s'aperçoit qu'elle accueille favorablement ces ouvertures, il se mettra à l'œuvre pour en venir à ses fins, sans aucune crainte. Une femme qui, à la première entrevue, trahit son amour par des signes extérieurs, devra être gagnée très aisément. De même une femme lascive qui, si on lui parle amoureusement, répond aussitôt par des paroles où se révèle l'amour, doit être considérée comme gagnée à l'instant même. A l'égard de toutes les femmes, qu'elles soient sages, simples. ou confiantes, il est de principe que celles qui manifestent ouvertement leur amour sont aisément gagnées.

IV

DES DEVOIRS D'UNE ENTREMETTEUSE

Si une femme a manifesté son amour ou son désir par des signes ou des mouvements de son corps, et qu'ensuite elle ne se laisse plus voir que rarement ou pas du tout, ou s'il s'agit d'une femme rencontrée pour la première fois, l'homme doit employer une entremetteuse pour s'approcher d'elle.

Or l'entremetteuse, après s'être insinuée dans la confiance de la femme en agissant suivant ses dispositions, essayera de lui faire haïr ou mépriser son mari en tenant avec elle d'artificieuses conversations, en lui parlant de médecines pour avoir des enfants, en lui racontant des contes de diverses sortes sur les voisins, des histoires sur les femmes des autres, et en célébrant sa beauté, sa sagesse, sa générosité, son bon naturel. Elle lui dira : " C'est en vérité bien dommage que vous, une femme si excellente sous tous les rapports, soyez sous la domination d'un tel mari. Belle dame, il n'est pas fait pour vous servir. " L'entremetteuse parlera ensuite à la femme de la faible passion de son mari, de sa jalousie, de sa coquinerie, de son ingratitude, de son aversion pour les plaisirs, de sa sottise, de sa mesquinerie, et de tous les autres défauts qu'il peut avoir et qu'elle pourra bien connaître. Elle insistera particulièrement sur tel défaut ou imperfection qui lui paraîtra devoir être plus sensible à la femme. Si l'épouse est une femme-biche, et le mari un homme-lièvre, il n'y a rien à dire ; mais s'il était un homme-lièvre, et elle une femme-jument ou une femme-éléphant, alors elle lui ferait sentir la disproportion.

Gonikaputra est d'avis que, dans le cas où la femme en est à sa première intrigue, ou qu'elle n'a fait connaître son amour qu'avec toutes sortes de réticences, l'homme doit alors lui envoyer une entremetteuse qui la connaisse déjà et en qui elle ait confiance.

Mais revenons à notre sujet. L'entremetteuse parlera à la femme du dévouement et de l'amour de l'homme, et lorsqu'elle verra grandir sa confiance et son affection, elle lui dira alors ce qu'elle devra faire, de la manière suivante : " Ecoutez ceci, ô belle dame, voilà un homme de bonne famille, qui vous a vue, et qui en perd la tête. Le pauvre jeune homme, d'une nature si sensible ! il n'a jamais été aussi rudement éprouvé, et je crains bien qu'il ne succombe à son affliction, qu'il ne finisse par en mourir ! " Si la femme prête à ces paroles une oreille favorable, alors, le jour suivant, l'entremetteuse, qui aura observé des signes de bon augure sur son visage, dans ses yeux et dans sa conversation, lui parlera de l'homme et lui contera les histoires d'Ahalya et d'Indra, de Sacountala et de Dushyanti, ou d'autres semblables qui pourront s'adapter à l'occasion. Elle lui vantera la force de l'homme, ses talents, son habileté dans les soixante-quatre sortes de plaisir mentionnées par Babhravya, sa bonne mine, et sa liaison avec quelque noble dame, n'importe que ce dernier point soit vrai ou non.

De plus l'entremetteuse notera avec soin la conduite de la femme à son égard. Si elle lui est favorable, voici quels seront ses procédés : elle l'accueillera d'un air souriant, s'assiéra tout près d'elle, et lui demandera : " Où avez-vous été ? Qu'avez-vous fait ? Où avez-vous dîné ? Où avez-vous dormi ? Où vous êtes-vous assise ? " Elle ira aussi trouver l'entremetteuse dans des endroits solitaires; là, elle lui contera des histoires, bâillera contemplativement, poussera de longs soupirs, lui donnera des présents, la fera ressouvenir de quelque joyeuse journée, et la renverra en souhaitant de la revoir, et en lui disant d'un air enjoué : " Oh ! jolie parleuse, pourquoi m'avez-vous dit ces méchantes paroles ? " Puis elle observera que ce serait péché d'avoir commencé avec cet homme ; et elle ne dira rien des rendez-vous ou conversations qu'elle aura déjà pu avoir avec lui, mais désirera qu'on l'interroge là-dessus, et enfin rira de la passion de l'homme, mais sans lui en faire un crime.

Ainsi finit la conduite de la femme avec l'entremetteuse.

Lorsque la femme aura manifesté son amour comme il vient d'être dit, l'entremetteuse l'attisera en lui apportant des gages amoureux de la part de l'homme. Mais si la femme ne le connaît pas bien personnellement, l'entremetteuse l'amènera à ses fins en célébrant et en exaltant ses bonnes qualités, et en lui contant des histoires de son amour pour elle. Auddalaka dit à ce propos que si un homme et une femme ne se connaissent pas personnellement, et s'ils ne se sont pas montré l'un à l'autre des signes d'affection, l'emploi d'une entremetteuse est inutile.

Les disciples de Babhravya, d'un autre côté, affirment que s'ils se sont montré l'un à l'autre des signes d'affection, quoique ne se connaissant pas personnellement, il y a lieu d'employer une entremetteuse. D'après Gonikaputra, cet emploi est de saison pourvu qu'ils se connaissent, lors même qu'il n'y aurait pas eu de signes d'affection. Vatsyayana, lui, établit que même s'ils ne se connaissent pas personnellement et ne se sont montré l'un à l'autre aucun signe d'afffection, tous les deux cependant peuvent donner leur confiance à une entremetteuse.

Or l'entremetteuse fera voir à la femme les présents tels que noix de bétel et feuilles de bétel, parfums, fleurs et anneaux, que l'homme pourra lui avoir donnés pour elle, et sur ces présents seront imprimées les marques des dents et des ongles de l'homme, avec d'autres signes. Sur l'étoffe qu'il pourra lui envoyer, il dessinera avec du safran ses deux mains jointes ensemble, pour signifier son ardente prière.

L'entremetteuse fera voir aussi à la femme des figures ornementales de différentes sortes, découpées dans des feuilles, ainsi que des ornements d'oreilles et des chapelets de fleurs contenant des lettres d'amour où sera exprimé le désir de l'homme, et elle la déterminera à lui envoyer en retour des présents affectueux. Une fois ces présents acceptés de part et d'autre, l'entremetteuse, de sa propre initiative, arrangera entre eux un rendez-vous.

Les disciples de Babhravya disent que ce rendez-vous doit avoir lieu à l'époque où l'on visite le temple d'une Divinité ou à l'occasion de foires, parties de jardin, représentations théâtrales, mariages, sacrifices, festivals et funérailles, ou encore lorsqu'on va se baigner à la rivière, ou bien en temps de calamités naturelles, d'incursions de brigands ou d'invasion du pays par l'ennemi.

Gonikaputra est d'avis que ces rendez-vous doivent de préférence se donner dans des demeures de femmes amies, de mendiants, d'astrologues et d'ascètes. Mais Vatsyayana décide que le seul lieu convenable à ce sujet est celui dont l'entrée et la sortie sont faciles, où il a été pris des dispositions pour éviter tout accident, et où l'homme, ayant une fois pénétré dans la maison, peut la quitter au moment voulu sans risquer un rencontre fâcheuse.

Maintenant, voici quelles sont les différentes sortes d'entremetteuses ou messagères :

— Une entremetteuse qui prend sur elle le fardeau de l'affaire.

— Une entremetteuse qui exécute seulement une partie limitée de l'affaire.

— Une entremetteuse qui porte simplement une lettre.

— Une entremetteuse qui agit pour son propre compte.

— L'entremetteuse d'une jeune femme innocente.

— Une femme mariée servant d'entremetteuse à son mari.

— Une entremetteuse muette.

— Une entremetteuse qui joue le rôle du vent.

*
**

— Une femme qui, après avoir observé la passion mutuelle d'un homme et d'une femme, les met en rapport et mène l'intrigue par la seule puissance de son intellect, s'appelle une *entremetteuse qui prend sur elle tout le fardeau de l'affaire.* Cette espèce d'entremetteuse est principalement employée lorsque l'homme et la femme se connaissent déjà et ont déjà conversé ensemble ; dans ce cas elle n'est pas envoyée seulement par l'homme (ce qui a toujours lieu dans tous les autres cas), mais aussi par la femme. On donne aussi ce nom à une entremetteuse qui, s'apercevant que tel homme et telle femme se conviennent l'un à l'autre, essaye de les unir, quoiqu'ils ne se connaissent pas encore.

— Une entremetteuse qui, après s'être aperçue qu'une partie de l'affaire était déjà faite, ou que l'homme a déjà risqué ses avances, se charge de parfaire le reste, s'appelle *une entremetteuse qui exécute seulement une partie limitée de l'affaire.*

— Une entremetteuse qui porte simplement des messages entre un homme et une femme qui s'aiment mais sans pouvoir se rencontrer souvent, s'appelle *une porteuse de lettre ou message*.

On donne aussi ce nom à celle qui est envoyée par l'un des amants, pour informer l'autre de l'heure et du lieu d'un rendez-vous.

— Une femme qui va trouver un homme et lui dit qu'elle a goûté l'union sexuelle avec lui dans un rêve ; qui lui exprime sa colère de ce que sa femme l'a querellé pour l'avoir appelée du nom de sa rivale au lieu du sien propre ; lui donne un objet quelconque portant les marques de ses dents et de ses ongles ; lui déclare que depuis longtemps elle savait être désirée de lui, et lui demande en particulier laquelle a meilleure mine, de sa femme ou d'elle-même : une telle personne s'appelle *une entremetteuse pour son propre compte*. L'homme ne doit lui donner des rendez-vous et converser avec elle qu'en particulier et secrètement.

On donne aussi ce nom à une femme qui, après avoir promis à une autre d'agir pour elle, conquiert l'homme pour son propre compte en faisant personnellement sa connaissance, et cause ainsi l'échec de l'autre femme. De même à un homme qui, agissant comme entremetteur pour un autre et ne connaissant pas la femme auparavant, la conquiert pour lui et cause ainsi l'échec de l'autre.

— Une femme qui a gagné la confiance de l'innocente jeune femme d'un homme et qui, possédant ses secrets sans avoir exercé aucune pression sur son esprit, connaît d'après ses confidences la manière dont son mari se comporte avec elle, pourra lui enseigner l'art de se faire aimer de son mari, en la parant de manière à exprimer son amour, et en lui apprenant comment et quand se mettre en colère, ou en faire mine, puis, après avoir fait elle-même ces marques d'ongles et de dents sur le corps de la jeune femme, elle l'engagera à faire venir son mari pour montrer ces marques et l'exciter ainsi à la jouissance : une telle femme s'appelle *l'entremetteuse d'une jeune femme innocente*. Dans ce cas, le mari répondra à sa femme par l'intermédiaire de la même personne.

— Lorsqu'un homme emploie sa propre femme pour gagner la confiance d'une femme qu'il veut posséder et l'envoie chez elle pour lui vanter la sagesse et l'habileté de son mari, on appelle la première *une femme mariée qui sert d'entremetteuse*. Dans ce cas, la femme courtisée fera aussi connaître à l'homme ses sentiments par l'intermédiaire de sa propre femme.

— Lorsqu'un homme envoie une jeune fille ou une servante chez une femme sous un prétexte ou sous un autre, et cache une lettre dans son bouquet de fleurs, ou dans ses ornements d'oreilles, ou fait sur elle quelque marque avec ses dents ou ses ongles, cette jeune fille ou servante s'appelle *une entremetteuse muette*. Dans ce cas, l'homme doit attendre une réponse de la femme par l'intermédiaire de la même personne.

— Une personne qui porte à une femme un message à double sens, ou relatif à quelque fait passé, ou inintelligible à d'autres, s'appelle *une entremetteuse qui joue le rôle du vent*. Dans ce cas, on doit demander une réponse par l'intermédiaire de la même femme.

Ainsi finissent les différentes sortes d'entremetteuses.

*
**

Une femme astrologue, une servante, une mendiante ou une femme artiste sont bien au courant du métier d'entremetteuse et réussissent vite à gagner la confiance des autres femmes. Chacune d'elles peut à volonté exciter l'inimitié entre deux personnes, ou exalter l'amabilité de telle ou telle femme dont elle prend l'intérêt, ou décrire les arts pratiqués par d'autres femmes dans l'union sexuelle. Elles peuvent aussi parler en termes pompeux de l'amour d'un homme, de son adresse dans les plaisirs sexuels, de la passion que d'autres femmes, plus belles encore que celle à qui elles s'adressent, ressentent pour lui, et expliquer les difficultés qui peuvent le retenir dans sa maison.

Enfin, une entremetteuse, par l'artifice de sa conversation, peut approcher une femme d'un homme, lors même que la femme n'y aurait pas songé, que l'homme l'aurait crue au-dessus de ses prétentions. Elle peut aussi ramener à une femme un homme qui, pour une cause ou pour une autre, s'en serait séparé.

V

DE L'AMOUR DES PERSONNES EN CHARGE
POUR LES ÉPOUSES D'AUTRUI

Les Rois et leurs ministres n'ont pas d'accès dans les demeures des citoyens, et, de plus, leur manière de vivre est constamment surveillée, observée, et imitée par la multitude : exactement comme le monde animal, voyant le soleil se lever, se lève avec lui, et lorsqu'il se couche le soir, se couche de nouveau à son imitation. Les personnes en charge doivent donc éviter de faire en public aucun acte blâmable, que leur position leur interdit et qui serait digne de censure. Mais si un tel acte paraît nécessaire, ils doivent alors employer les moyens convenables, tels qu'ils sont décrits ci-après :

Le principal d'un village, l'officier du Roi y préposé, et l'homme dont le travail consiste à glaner du blé, peuvent séduire les villageoises en leur faisant une simple demande. Aussi, les voluptueux donnent-ils le nom de *ribaudes* à cette catégorie de femmes.

L'union des hommes sus-mentionnés avec cette catégorie de femmes a lieu à l'occasion d'un travail non payé, de l'emmagasinage des récoltes dans leurs greniers, de l'entrée dans la maison ou de la sortie d'objets, du nettoyage des maisons, du travail des champs, de l'achat du coton, de la laine, du lin, du chanvre, du fil, et dans la saison de l'achat, vente et échange de divers autres articles, comme aussi au moment où se font divers autres travaux. De la même façon, les surveillants de parcs aux vaches jouissent des femmes dans ces parcs ; et les officiers qui ont la surveillance des veuves, des femmes sans appui et de celles qui ont quitté leurs maris, ont avec ces femmes un commerce sexuel. Les plus adroits font leur besogne en rôdant la nuit dans le village. Il y a aussi des villageois qui entretiennent des relations avec les femmes de leurs fils, étant la plupart du temps seuls avec elles. Enfin les surveillants des marchés ont fort à faire aux villageoises, lorsque celles-ci viennent au marché pour leurs achats.

Durant le festival de la huitième lune, c'est-à-dire durant la brillante moitié du mois de Nargashirsha, comme aussi durant le festival du printemps de Chaitra, les femmes des villes et des cités visitent généralement les femmes du harem du Roi, dans le palais royal. Ces visiteuses, étant connues des femmes du harem, sont admises dans leurs appartements particuliers ; elles y passent la nuit en conversations, en sports et en amusements à leur goût, et s'en vont le matin. A cette occasion, une servante du Roi, qui saura d'avance la femme que le Roi désire, accostera, en ayant l'air de flâner, telle ou telle femme qui s'apprête à rentrer chez elle, et l'invitera à venir voir les curiosités du palais. Avant même ces festivals, elle peut avoir fait dire à cette femme qu'à l'occasion du festival elle veut lui montrer toutes les choses intéressantes du palais. Et, effectivement, elle lui fera voir le berceau de plantes grimpantes en forme de corail, la maison du jardin avec son plancher incrusté de pierres précieuses, le berceau de grappes de raisin, l'édifice sur l'eau, les passages secrets dans les murs du palais, les peintures, les animaux de chasse et de sport, les machines, les oiseaux, et les cages aux lions et aux tigres. Ensuite, étant seule avec elle, elle lui parlera de l'amour que lui porte le Roi et lui vantera l'heureuse fortune que lui procurerait son union avec le Roi, l'assurant d'ailleurs d'un secret strictement gardé. Si la femme accepte cette offre, elle l'en récompensera par de jolis présents dignes du Roi, et après l'avoir accompagnée à distance, la congédiera avec de grandes marques d'affection.

Il peut arriver aussi que les femmes du Roi, ayant fait la connaissance du mari de la femme que le Roi désire, invitent cette femme à venir les visiter dans le harem, et alors, une servante du Roi, envoyée là tout exprès, agira comme il est dit ci-dessus.

Ou bien, une des femmes du Roi fera la connaissance de la femme que le Roi désire, en lui envoyant une de ses suivantes qui, devenue plus intime avec elle, l'engagera à venir voir le palais royal. Puis, lorsqu'elle aura visité le harem et pris confiance, une affidée du Roi, envoyée tout exprès, agira comme il est dit ci-dessus.

Ou bien, la femme du Roi invitera celle que le Roi désire à venir au palais royal, pour voir pratiquer l'art dans lequel la femme du Roi peut exceller, et lorsqu'elle sera venue au harem, une servante du Roi, envoyée tout exprès, agira comme il est dit ci-dessus.

Ou bien une mendiante, d'accord avec la femme du Roi, dira à la femme que le Roi désire, et dont le mari peut avoir perdu sa fortune ou avoir quelque chose à craindre du Roi : " Cette femme du Roi a de l'influence sur lui; elle est, de plus, naturellement bienveillante ; c'est à elle, par conséquent, que nous devons avoir recours en cette affaire. Je me charge de vous faire entrer au harem, et elle écartera toute cause de danger et de crainte de la part du Roi. " Si la femme accepte cette offre, la mendiante la conduira deux ou trois fois au harem, et la femme du Roi lui promettra sa protection. Ensuite, lorsque la femme, enchantée de l'accueil et de la protection promise, retournera au harem, une servante du Roi envoyée tout exprès agira comme il a été dit.

Ce qu'on vient de dire au sujet de la femme d'un homme qui a quelque chose à craindre du Roi, s'applique aussi aux femmes de ceux qui sollicitent du service auprès du Roi, ou qui sont opprimés par les ministres du Roi, ou qui sont pauvres, ou qui ne sont pas satisfaits de leur position, ou qui désirent gagner la faveur du Roi, ou qui veulent devenir fameux parmi le peuple, ou qui sont opprimés par les membres de leur propre caste, ou qui agissent en espions du Roi, ou qui ont quelque objet à atteindre.

Enfin, si la femme que le Roi désire vit avec un homme qui n'est pas son mari, alors le Roi peut la faire arrêter, et, l'ayant réduite en esclavage, à cause de son délit, la placer dans le harem. Ou encore, le Roi ordonnera à son ambassadeur de chercher querelle au mari de la femme qu'il désire, et il emprisonnera celle-ci comme la femme d'un ennemi du Roi, pour la placer ensuite dans le harem.

Ainsi finissent les moyens de gagner secrètement les épouses d'autrui.

Les moyens ci-dessus mentionnés de gagner les épouses d'autrui se pratiquent généralement dans les palais des Rois. Mais un Roi ne doit jamais pénétrer dans le domicile d'une autre personne ; car Abhira, Roi des Kottas, fut tué par un blanchisseur tandis qu'il était dans une maison étrangère, et Jayasana, Roi des Kashis, fut massacré en pareille occasion sur l'ordre de ses cavaliers.

Mais suivant les coutumes de quelques pays, les Rois ont certaines facilités de faire l'amour aux femmes d'autres hommes. Ainsi, dans le pays des Andras, les nouvelles mariées ont l'usage de se présenter au harem du Roi, avec les présents, le dixième jour de leur mariage ; puis, après avoir été possédées par le Roi, elles sont congédiées. Dans le pays de Vatsagulmas les femmes des premiers ministres vont trouver le Roi le soir et se mettent à son service. Dans le pays des Vaidharbas, les belles femmes des indigènes passent un mois dans le harem du Roi, sous prétexte de leur affection pour sa personne. Dans le pays des Aparatakas, les citoyens envoient en présents leurs belles femmes aux ministres et aux Rois. Et enfin, dans le pays de Saurashatras, les femmes de la ville et de la campagne se rendent au harem royal pour le plaisir du Roi, soit ensemble, soit séparément.

Il y a aussi, sur ce sujet, deux versets, dont voici le texte :

" Les procédés ci-dessus décrits, et d'autres semblables, sont les moyens employés par le Roi à l'égard des épouses d'autrui. Mais un Roi qui est préoccupé du bien-être de son peuple ne doit en aucun cas les mettre en pratique.

" Un Roi qui a triomphé des six ennemis de l'humanité devient le maître du monde entier. "

VI

DES FEMMES DU HAREM ROYAL
ET DE LA GARDE DE SA PROPRE ÉPOUSE

Les femmes du harem royal ne peuvent voir ni rencontrer un homme, tant elles sont strictement gardées : et leurs désirs ne sauraient d'ailleurs être satisfaits, leur unique mari étant commun à tant de femmes.

Certains Rois compatissants prennent ou s'appliquent des médicaments qui leur permettent de jouir de plusieurs femmes dans la même nuit, quoique peut-être ils n'y soient guère portés de leur propre mouvement. D'autres jouissent avec celles de leurs femmes seulement qui ont leur préférence ; d'autres enfin prennent chacune de leurs femmes à tour de rôle, régulièrement. Tels sont les moyens de jouissance qui prévalent dans les contrées de l'Est, et ce qui est dit de la jouissance de la femme est aussi applicable à l'homme.

Toutefois, par l'entremise de leurs servantes, les dames du harem royal reçoivent assez souvent dans leurs appartements des hommes déguisés en femmes. Leurs servantes et les filles de leurs nourrices, qui sont au fait de tous les secrets du lieu, ont pour mission d'engager des hommes à pénétrer ainsi dans le harem, en leur parlant de la bonne fortune qui les y attend, des facilités d'entrée et de sortie, de la grande étendue du palais, de la négligence des sentinelles, et de la condescendance des surveillants pour la personne des épouses royales. Mais ces femmes ne doivent jamais, au moyen de mensonges, décider un homme à entrer dans le harem, car ce serait probablement occasionner sa perte.

Quant à l'homme lui-même, il fera mieux de renoncer à pénétrer dans le harem, si aisé qu'en soit l'accès, à cause des nombreux désastres auxquels il s'y trouvera exposé. Si cependant il veut y entrer, il doit premièrement s'assurer s'il existe une sortie facile, s'il est partout entouré du jardin de plaisance, s'il y a différents compartiments qui en dépendent, si les sentinelles sont négligentes, si le Roi en est absent ; et alors, au moment où les femmes du harem lui feront signe, il observera soigneusement les localités et entrera par le chemin qui lui sera indiqué. Si la chose lui est possible, il rôdera chaque jour autour du harem, se familiarisera, sous un prétexte ou sous un autre, avec les sentinelles, et se montrera aimable pour les servantes du harem qui pourront connaître son dessein, et auxquelles il exprimera son regret de ne pouvoir encore atteindre le but de ses désirs. Enfin, il laissera tout l'office d'entremetteuse à la femme qui aura accès dans le harem, et il s'étudiera à reconnaître les émissaires du Roi.

S'il n'y a pas d'entremetteuse qui ait accès dans le harem, l'homme, alors, se tiendra dans quelque endroit où il puisse voir la femme qu'il aime et qu'il désire posséder.

Si cet endroit est occupé par les sentinelles du Roi, il se déguisera en servante de la dame qui vient dans ledit endroit, ou qui y passe. Lorsqu'elle le regardera, il lui fera connaître ses sentiments par des signes et des gestes extérieurs, et lui montrera des peintures, des objets à double sens, des chapelets de fleurs, des anneaux. Il notera soigneusement la réponse qu'elle lui fera, par mots ou par signes ou gestes, et essayera alors de pénétrer dans le harem. S'il est certain qu'elle doit venir dans quelque lieu particulier, il s'y cachera, et, au moment voulu, entrera avec elle mêlé à ses gardes. Il peut aussi aller et venir, caché dans un lit replié, ou dans une couverture de lit ; ou mieux encore, il se rendra le corps invisible au moyen d'applications extérieures, comme celle dont voici la recette :

Brûlez ensemble, sans laisser partir la fumée, le

cœur d'un ichneumon, le fruit de la courge longue (*tumbi*), et les yeux d'un serpent ; broyez les cendres et mêlez dans une égale quantité d'eau. En se mettant sur les yeux cette mixture, un homme peut aller et venir sans être vu.

Il y a d'autres moyens d'invisibilité prescrits par les Brahmanes de Duyana et les Jogashiras.

Un homme peut aussi entrer dans un harem durant le festival de la huitième lune, dans le mois de Nargashirsha, et durant les festivals de clair de lune, alors que les surveillantes du harem sont très occupées ou tout à la fête.

Voici, sur le sujet, les principes posés en règles :

L'entrée des jeunes gens dans le harem et leur sortie ont généralement lieu quand on introduit des objets dans le palais, ou quand on en fait sortir, ou au moment des festivals à boire, ou lorsque les surveillantes sont excédées de besogne, ou lorsqu'une des épouses royales change de résidence, ou lorsque les femmes du Roi vont aux jardins ou aux foires, ou lorsqu'elles rentrent au palais ou enfin lorsque le Roi est absent pour un long pèlerinage. Les femmes du harem royal connaissent les secrets les unes des autres et n'ayant qu'un seul objet en vue, elles se prêtent mutuellement assistance. Un jeune homme qui les possède toutes, et qui leur est commun à toutes, peut continuer à en jouir aussi longtemps que la chose reste secrète, et qu'elle ne transpire pas au-dehors.

Maintenant, dans le pays des Aparatakas, les épouses du Roi ne sont pas bien gardées, et beaucoup de jeunes gens pénètrent dans le harem au moyen des femmes qui ont accès au palais royal. Les femmes du Roi de Ahira font leur affaire avec les sentinelles du harem, qu'on nomme Kshtriyas. Les épouses du Roi, dans le pays des Vatsagulmas, font entrer dans le harem, en même temps que leurs messagères, les hommes qui leur conviennent. Dans le pays des Vaidarbhas, les fils des épouses du Roi entrent dans le harem à leur volonté, et jouissent des femmes, à l'exception de leurs propres mères. Dans le Strirajya, les femmes du Roi s'abandonnent à ses compagnons des castes et à ses parents. Dans le Ganda, les femmes du Roi sont à la discrétion des Brahmanes, de leurs amis, de leurs domestiques et de leurs esclaves. Dans le Samdhava, les domestiques, les frères de lait et autres personnes de même sorte jouissent des femmes du harem. Dans le pays des Haimavatas, d'aventureux citoyens corrompent les sentinelles et pénètrent dans le harem. Dans le pays des Vanyas et des Kalmyas, les Brahmanes, au su du Roi, entrent dans le harem sous le prétexte de donner des fleurs aux dames, causent avec elles derrière un rideau, et arrivent ensuite à les posséder. Enfin les femmes du harem du Roi des Prachyas tiennent caché dans le harem un jeune homme, par chaque série de neuf ou dix femmes.

Ainsi font les épouses d'autrui.

Pour ces raisons, chaque mari doit veiller sur sa femme. De vieux auteurs disent qu'un Roi doit choisir, pour sentinelles dans son harem, des hommes bien connus pour n'avoir pas de désirs charnels. Mais ces hommes, quoique affranchis eux-mêmes de désirs charnels, peuvent, par crainte ou avarice, introduire d'autres personnes dans le harem ; ce qui fait dire à Gonikaputra que les Rois doivent placer dans le harem des hommes à l'abri des désirs charnels, de la crainte et de l'avarice. Enfin Vatsyayana observe qu'il peut entrer des hommes sous l'influence de Dharma, et en conséquence il faut choisir des gardiens également inaccessibles aux désirs charnels, à la crainte, à l'avarice et à Dharma.

Les disciples de Babhravya disent qu'un mari doit faire lier sa femme avec une autre, qui lui rapportera les secrets du voisinage, et le renseignera sur la chasteté de sa femme. Mais Vatsyayana répond que des personnes mal intentionnées réussissent toujours avec les femmes, et qu'un mari ne doit pas exposer son innocente épouse à se corrompre dans la compagnie d'une coquine.

La chasteté d'une femme se perd par l'une des causes ci-après :

— Fréquentation assidue des sociétés et compagnies.

— Absence de retenue.

— Débauche du mari.

— Manque de précautions dans ses relations avec d'autres hommes.

— Absences fréquentes et prolongées du mari.

— Séjour en pays étranger.

— Destruction, par son mari, de son amour et de sa délicatesse de sentiments.

— Société de femmes dissolues.

— Jalousie du mari.

Il y a aussi, sur ce sujet, des versets dont voici le texte :

" Un homme habile, qui a appris dans les Shastra les moyens de séduire les épouses d'autrui, n'est jamais trompé dans le cas de ses propres femmes. Personne, toutefois, ne doit faire usage de ces moyens pour séduire les épouses d'autrui, parce qu'ils ne réussissent pas toujours et, de plus, occasionnent souvent des désastres, et la destruction de Dharma et Artha. Ce livre, dont l'objet est le bien-être des citoyens, et qui leur enseigne les moyens de garder leurs propres femmes, ne doit pas servir simplement de guide pour débaucher les épouses d'autrui. "

FIN DE LA CINQUIÈME PARTIE

SIXIÈME PARTIE

DES COURTISANES

AVANT-PROPOS DE L'ÉDITION ANGLAISE

Cette VIe Partie, sur les courtisanes, a été rédigée par Vatsyayana d'après un trait sur la matière, écrit par Dattaka pour les femmes de Pataliputra (la moderne Patna), il y a environ deux mille ans. Il ne paraît pas que l'ouvrage de Dattaka existe encore ; mais l'abrégé de Vatsyayana est très remarquable, et tout à fait à la hauteur des productions d'Émile Zola et autres écrivains de l'école réaliste du jour.

On a beaucoup écrit au sujet de la courtisane : nulle part cependant, on n'en saurait trouver un portrait plus fidèle, ni une description plus vraie de ses débuts, de ses idées, du travail de son esprit, que dans les pages suivantes.

Les détails de la vie domestique et sociale des anciens Hindous ne seraient pas complets, si l'on passait sous silence la courtisane : aussi la VIe Partie est-elle entièrement consacrée à ce sujet. Les Hindous ont toujours eu le bon sens de reconnaître les courtisanes comme un élément de la société humaine, et aussi longtemps qu'elles se sont conduites avec décence et modestie, elles ont été entourées d'une sorte de respect. Elles n'ont jamais, en tout cas, été traitées en Orient avec cette brutalité et ce mépris si communs dans notre Occident ; et leur éducation a toujours été supérieure à celles des autres femmes dans les contrées orientales.

Si l'on remonte aux époques les plus reculées, la jeune danseuse et la courtisane hindoue bien élevée ressemblaient à l'Hétaïre des Grecs ; instruites et aimables, elles faisaient des compagnes de beaucoup préférables à la généralité des femmes mariées ou non mariées. De tout temps et dans tous les pays, les femmes chastes et celles qui ne le sont pas ont toujours eu ensemble une certaine rivalité. Mais s'il y a des femmes qui sont nées courtisanes, et qui suivent les instincts de leur nature dans toutes les classes de la société, il est incontestable, comme l'ont dit plusieurs auteurs, que chaque femme a dans sa nature une tendance pour la profession, et qu'en règle générale elle fait de son mieux pour plaire au sexe mâle.

La subtilité des femmes, leur étonnant pouvoir de perception, leur connaissance et leur appréciation intuitive des hommes et des choses, tout cela est exposé dans les pages suivantes, qu'on peut considérer comme l'*essence concentrée* de ce qui a été produit en détail par une foule d'écrivains, sur tous les points du globe.

I

POURQUOI UNE COURTISANE S'ADRESSE
AUX HOMMES — DES MOYENS DE S'ATTA-
CHER L'HOMME DÉSIRÉ, ET DE L'ESPÈCE
D'HOMME QU'IL EST DÉSIRABLE DE
S'ATTACHER.

En ayant commerce avec les hommes, les courtisanes se procurent des plaisirs sexuels, aussi bien que
leur propre subsistance. Maintenant, lorsqu'une courtisane accueille un homme par amour, l'action est
naturelle ; mais si elle s'adresse à lui pour gagner
de l'argent, alors l'action est artificielle ou forcée.
Même dans ce cas, cependant, elle doit se conduire
comme si elle aimait naturellement, car les hommes
s'attachent aux femmes qui ont l'air de les aimer.
En faisant connaître à l'homme son amour, elle
montrera qu'elle est entièrement exempte d'avarice,
et, dans l'intérêt de son crédit futur, elle s'abstiendra de lui soutirer de l'argent par des moyens
déloyaux.
Une courtisane, bien habillée et parée de ses

ornements, doit se tenir assise ou debout à la porte de sa maison, et sans trop se mettre en évidence, elle regardera dans la rue de façon à être vue par les passants, attendu qu'elle est en quelque sorte un objet exposé en vente. Elle formera des amitiés avec telles ou telles personnes qui pourraient l'aider à brouiller les hommes avec d'autres femmes ; elle se les attachera en vue de réparer ses malheurs, d'acquérir de la richesse, et de se garantir de mauvais traitements ou d'insultes de la part des gens à qui elle aurait eu affaire de façon ou d'autre.

Ces personnes sont :

— Les gardiens de la ville, ou la police.
— Les officiers des cours de justice.
— Les astrologues.
— Les hommes pauvres ou intéressés.
— Les savants.
— Les professeurs des soixante-quatre arts.
— Les Pithamardas ou confidents.
— Les Vitas ou parasites.
— Les Vidushakas ou bouffons.
— Les marchands de fleurs.
— Les parfumeurs.
— Les marchands de spiritueux.
— Les blanchisseurs.
— Les barbiers.
— Les mendiants.

Et telles autres personnes qui peuvent lui être utiles pour l'objet qu'elle a en vue.

Les hommes qu'une courtisane peut cultiver, simplement pour gagner de l'argent, sont les suivants :

— Les hommes d'un revenu indépendant.

— Les jeunes gens.

— Les hommes libres de tous liens.

— Les hommes en charge sous le Roi.

— Les hommes qui se sont assuré leurs moyens d'existence sans difficulté.

— Les hommes qui possèdent des sources certaines de revenu.

— Les hommes qui se croient beaux.

— Les hommes qui aiment à se vanter.

— Un eunuque qui veut se faire passer pour un homme.

— Un homme qui déteste ses égaux.

— Un homme qui est naturellement libéral.

— Un homme qui a de l'influence sur le Roi ou ses ministres.

— Un homme qui est toujours heureux.

— Un homme qui est fier de sa fortune.

— Un homme qui désobéit aux ordres de ses aînés.

— Un homme sur qui les membres de sa caste ont l'œil ouvert.

— Un fils unique dont le père est riche.

— Un ascète qui est intérieurement troublé par le désir.

— Un homme brave.

— Un médecin du Roi.

— D'anciennes connaissances.

D'un côté, elle s'adressera, par amour ou dans l'intérêt de sa réputation, à des hommes doués d'excellentes qualités, tels que les suivants :

Les hommes de haute naissance, connaissant bien le monde et faisant des choses convenables en temps convenable ; les poètes ; les conteurs de bonnes histoires ; les hommes éloquents ; les hommes énergiques, adroits dans différents arts, prévoyant l'avenir, doués d'un grand pouvoir de persévérance, d'une dévotion ferme, exempts de colère, libéraux, affectionnés pour leurs parents et ayant du goût pour toutes les réunions de société, habiles à compléter des vers composés par d'autres, et au courant des différents sports, exempts de toute maladie, d'un corps parfaitement constitué, robustes, non livrés à la boisson, infatigables aux exercices d'amour, sociables, aimant les femmes et s'attirant leurs cœurs, mais sans se livrer complètement, possesseurs de moyens d'existence indépendants, exempts d'envie, et, enfin, exempts de soupçon.

Telles sont les bonnes qualités d'un homme.

La femme aussi doit se distinguer par les caractéristiques suivantes :

Elle doit être belle, aimable, et avoir sur le corps des signes de bon augure. Elle aimera les bonnes qualités chez les autres, et aura du goût pour la richesse. Elle se délectera aux unions sexuelles résultant de l'amour, aura l'esprit ferme, et, en ce qui concerne la jouissance sexuelle, sera de la même catégorie que l'homme.

Elle sera toujours désireuse d'acquérir de l'expérience et du savoir, sera exempte d'avarice, et aura toujours du goût pour les réunions de société et pour les arts.

Les qualités générales de toutes les femmes sont les suivantes :

Intelligence, bon naturel et bonnes manières ; conduite régulière ; caractère reconnaissant ; prévoyance de l'avenir avant de rien entreprendre ; activité ; bonne tenue ; connaissance des temps et des lieux convenables pour chaque chose ; langage correct, sans rire grossier, ni malignité, ni colère ; pas d'avarice, de sottise ni de stupidité ; connaissance des Kama Soutra ; adresse dans les arts qui s'y rattachent.

L'absence de l'une ou l'autre des qualités ci-dessus constitue les défauts des femmes.

Les courtisanes doivent éviter les catégories d'hommes ci-après mentionnées :

Celui qui est atteint de consomption ; celui qui est de tempérament maladif ; celui qui a des vers dans la bouche ; celui dont l'haleine a l'odeur des excréments humains ; celui qui aime sa femme ; celui qui parle durement ; celui qui est toujours soupçonneux ; celui qui est avare ; celui qui est sans pitié ; un voleur ; un fat ; celui qui a du goût pour la sorcellerie ; celui qui se moque d'être respecté ou non ; celui que ses ennemis eux-mêmes peuvent corrompre avec de l'argent, et enfin, celui qui est excessivement pudibond.

D'anciens auteurs sont d'avis qu'en s'adressant aux hommes, les courtisanes obéissent à l'un des mobiles suivants : amour, crainte, argent, plaisir, acte quelconque de vengeance à exécuter, curiosité, chagrin, habitude, Dharma, célébrité, compassion, désir d'avoir un ami, honte, ressemblance de l'homme avec quelque personne aimée, recherche de bonheur, envie de rompre avec un autre, conformité de catégorie avec l'homme pour l'union sexuelle, cohabitation dans un même lieu, constance et pauvreté. Mais Vatsyayana pose en principe que le désir de la richesse, la recherche du bien-être, et l'amour, sont les seules causes qui poussent les courtisanes à s'unir aux hommes.

Maintenant, une courtisane ne doit pas sacrifier de l'argent pour son amour, attendu que l'argent est la principale chose qu'elle doit avoir en vue. Mais, dans les cas de crainte, etc., elle pourra avoir égard à la force et aux autres qualités de son amant. De plus, bien qu'elle soit invitée par un homme à s'unir à lui, elle ne doit pas y consentir tout de suite, car les hommes ont une tendance à mépriser ce qu'ils obtiennent facilement. A ces occasions, elle enverra d'abord les masseurs, les chanteurs, les bouffons qu'elle peut avoir à son service, ou, en leur absence, les Pithamardas ou confidents, et d'autres, pour tâter l'état de ses sentiments et de son esprit. Au moyen de ces personnes, elle saura si l'homme est pur ou impur, bien disposé ou non, capable d'attachement ou indifférent, libéral ou avare ; et si elle le trouve à son goût, elle emploiera alors le Vita et d'autres personnes à se l'attacher.

En conséquence, le Pithamarda amènera l'homme chez elle, sous le prétexte de voir des combats de cailles, de coqs, de béliers, d'entendre chanter le *maina,* ou d'assister à un spectacle ou à la pratique d'un art ; ou bien il pourra conduire la femme à la demeure de l'homme. Ensuite, lorsque l'homme sera venu dans sa maison, la femme lui donnera un objet capable d'exciter sa curiosité et de le rendre amoureux, tel qu'un présent d'amour, qu'elle lui dira spécialement destiné à son usage. Elle l'amusera aussi longtemps, en lui contant telles histoires et en faisant telles choses qui pourront lui être le plus agréables. Lorsqu'il sera parti, elle lui enverra souvent une de ses servantes, habile à tenir une conversation enjouée, et en même temps elle lui fera remettre un petit cadeau. Quelquefois aussi, elle ira elle-même le trouver sous le prétexte d'une affaire quelconque et accompagnée du Pithamarda.

Ainsi finissent les moyens, pour la courtisane, de s'attacher l'homme qu'elle désire.

Il y a, sur ce sujet, des versets dont voici le texte :

" Lorsqu'un galant se présente chez elle, la courtisane doit lui donner un mélange de feuilles de bétel et de noix de bétel, des guirlandes de fleurs et des onguents parfumés ; puis, en lui montrant son adresse dans les arts, tenir avec lui une longue conversation. Elle doit aussi lui donner des présents d'amour, échanger avec lui différents objets, et, en même temps, lui faire voir son expérience dans les exercices sexuels. Une fois unie de la sorte avec son amant, la courtisane doit s'étudier à lui être toujours agréable par des dons amicaux, par sa conversation et par son habileté à varier les modes de jouissance. "

II

DE LA COURTISANE
VIVANT MARITALEMENT AVEC UN HOMME

Lorsqu'une courtisane vit avec son amant comme si elle était mariée, elle doit se conduire en femme chaste et le satisfaire en tout. Son devoir, en deux mots, est de lui donner du plaisir ; mais il ne faut pas qu'elle s'attache à lui, bien qu'elle se conduise comme si elle lui était réellement attachée.

Or, voici la manière dont elle doit procéder, pour réaliser l'objet en question. Elle aura une mère dépendante d'elle, qu'elle puisse représenter comme très âpre au gain et uniquement préoccupée d'amasser de l'argent. Si elle n'a pas de mère, elle fera jouer ce rôle à une vieille nourrice ou femme de confiance. La mère ou la nourrice, pour leur part, se montreront mal disposées pour l'amant, et lui retireront la fille de force. Quant à celle-ci, elle affec-

tera, dans ces occasions, de la colère, de l'abattement, de la crainte et de la honte ; mais en aucun
cas, elle ne désobéira à la mère ou à la nourrice.

Elle dira à la mère ou à la nourrice que l'homme
est atteint d'une indisposition, et, sous ce prétexte,
elle ira le voir. Voici, de plus, les différentes choses
qu'elle devra faire pour s'assurer la faveur de
l'homme :

Elle enverra sa servante chercher les fleurs qui
lui auront servi la veille, afin de s'en servir elle-
même en signe d'affection ; elle demandera également le mélange de noix de bétel et de feuilles de
bétel qu'il n'aura pas mangé ; elle exprimera son
étonnement de l'expérience dont il aura fait preuve
dans le commerce sexuel, et dans les divers modes
de jouissances qu'il aura employés ; elle apprendra
de lui les soixante-quatre sortes de plaisirs énumérées
par Babhravya ; pratiquera continuellement les
moyens de jouissance qu'il lui aura enseignés en se
conformant à sa fantaisie ; gardera ses secrets ; lui
confiera ses propres désirs et secrets ; dissimulera
sa colère ; ne le négligera jamais au lit lorsqu'il
tournera son visage de son côté ; touchera, suivant
son caprice, une partie quelconque de son corps; le
baisera et l'embrassera pendant son sommeil ; le
regardera d'un air d'anxiété lorsqu'il sera songeur,
ou qu'il pensera à quelque autre objet qu'à elle-

même ; ne montrera ni complète indifférence ni excessive émotion, lorsqu'il la rencontrera ou que, de la rue, il la verra debout sur la terrasse de sa maison ; haïra ses ennemis ; aimera ceux qui lui sont chers ; montrera du goût pour ce qu'il aime ; sera gaie ou triste, suivant qu'il le sera lui-même ; exprimera le désir de voir ses femmes ; ne restera pas longtemps en colère ; affectera de soupçonner que les marques et égratignures, faites par elle-même sur son corps avec ses ongles et ses dents, aient été faites par quelque autre femme ; ne manifestera pas son amour pour lui par des paroles, mais par des actes, des signes, des demi-mots ; restera silencieuse lorsqu'il sera endormi, ivre ou malade ; écoutera attentivement le récit qu'il pourra faire de ses bonnes actions, et les répétera ensuite à sa louange ; lui répondra avec vivacité et gaieté, lorsqu'elle le verra suffisamment familiarisé ; prêtera l'oreille à tout ce qu'il racontera, sauf ce qui concernera ses rivales ; exprimera ses sentiments d'abattement et de chagrin s'il soupire, bâille ou s'évanouit ; s'il éternue, prononcera aussitôt les mots de " longue vie ! " ; se prétendra malade, ou désireuse d'être enceinte, lorsqu'elle sentira l'ennui ; s'abstiendra de louer les bonnes qualités de personne autre, et de censurer ceux qui auront les mêmes défauts que son amant ; portera n'importe quel objet qu'il pourra lui avoir donné ; évitera de revêtir ses ornements, et s'abstiendra de manger lorsqu'il sera souffrant, malade, découragé, ou atteint de quelque malheur, le consolant et partageant avec lui son affliction ; demandera de l'accompagner, s'il lui arrive de quitter le pays volontairement ou s'il en est banni par le Roi : exprimera le désir de ne pas lui survivre ; lui dira que le seul objet, le seul vœu de toute sa vie était d'être unie à lui ; offrira à la Divinité les sacrifices promis d'avance, lorsqu'il acquerra de la richesse ou obtiendra satisfaction de quelque désir, ou lorsqu'il sera rétabli de quelque infirmité ou maladie ; mettra chaque jour ses ornements ; n'agira pas trop librement avec lui ; mêlera son nom et celui de sa famille dans ses chansons ; placera sa main sur ses reins, sa poitrine et son front, et tombera pâmée du plaisir qu'elle aura ressenti dans ses attouchements, s'assoira sur ses genoux et s'y endormira ; voudra avoir un enfant de lui ; ne désirera pas vivre plus longtemps que lui ; s'abstiendra de révéler ses secrets ; le dissuadera des vœux et des jeûnes, en lui disant : " Laissez le péché pour mon compte " ; observera avec lui les vœux et les jeûnes, lorsqu'il sera impossible de changer sa détermination à ce sujet ; lui dira que les vœux et les jeûnes sont difficiles à observer, même par elle, lorsqu'elle aura à leur propos quelque discussion avec lui ; s'occupera de sa propre fortune et de la sienne, sans distinction ; s'abstiendra de paraître sans lui aux assemblées publiques, et l'accompagnera s'il en exprime le désir ; se plaira à employer des choses déjà employées par lui, et à manger de la nourriture qu'il aura laissée ; respectera sa famille, son caractère, son habileté dans les arts, sa caste, sa couleur, son pays natal, ses amis, ses bonnes qualités, son naturel aimable ; le priera de chanter, et de faire d'autres choses de ce genre, s'il en est capable ; ira le trouver sans crainte aucune, et sans s'inquiéter du froid, de la chaleur, ou de la pluie ; à l'égard de l'autre monde, lui dira que, là encore, elle sera sa maîtresse ; réglera ses propres goûts et ses actions suivant son désir ; s'abstiendra de sorcellerie ; se querellera continuellement avec sa mère au sujet des visites à lui rendre, et si sa mère l'entraîne de force dans un autre endroit, menacera de s'empoisonner, de se laisser mourir de faim, de se percer avec une arme quelconque, ou de se pendre ; enfin, lui inspirera, au moyen de ses agents, une confiance entière dans sa constance et son amour ; et, tout en recevant elle-même de l'argent évitera toute discussion avec sa mère sur des affaires d'intérêt.

Si l'homme se met en route pour un voyage, elle lui fera jurer qu'il reviendra promptement, et, en son absence, négligera ses vœux d'adoration à la Divinité, et ne mettra d'autres ornements que ceux qui portent bonheur. Si le temps fixé pour son retour est passé, elle essayera d'en connaître l'époque réelle d'après certains présages, les propos de ses voisins, et d'après la position des planètes, de la lune et des étoiles. A l'occasion de quelque amusement ou quelque songe de bon augure, elle dira : " Puissé-je lui être bientôt réunie ! " Et si elle se sent de la mélancolie, ou voit un mauvais présage, elle accomplira quelque cérémonie pour apaiser la Divinité.

Lorsque l'homme sera de retour, elle adorera le Dieu Kama, et fera des oblations aux Divinités ; puis, s'étant fait apporter par ses amis un vase plein d'eau, elle honorera le corbeau qui mange les offrandes que nous faisons aux mânes de nos parents décédés. Après la première visite, elle priera son amant d'accomplir aussi certains rites, ce qu'il fera s'il lui est suffisamment attaché.

Or, on dit qu'un homme est suffisamment attaché à une femme lorsque son amour est désintéressé ; lorsqu'il a en vue le même projet que sa bien-aimée ; lorsqu'il est entièrement exempt de soupçons ; et lorsqu'il ne compte pas avec elle en matière d'argent.

Telle est la manière dont une courtisane doit vivre maritalement avec un homme : elle est établie ici, pour lui servir de guide, d'après les règles de Dattaka. Ce qui n'est pas indiqué ici devra être pratiqué suivant la coutume et la nature de chaque individu.

Il y a aussi, sur ce sujet, deux versets dont voici le texte :

" L'étendue de l'amour des femmes n'est pas connue, même de ceux qui sont les objets de leur affection, à cause de sa subtilité, et aussi de l'avarice et de la finesse naturelle du sexe féminin.

" Les femmes ne sont presque jamais connues sous leur vrai jour, soit qu'elles aiment les hommes ou qu'elles leur deviennent indifférentes ; qu'elles leur procurent de la jouissance ou les abandonnent ; ou qu'elles réussissent à en tirer toute la fortune qu'ils possèdent. "

III

DES MOYENS DE GAGNER DE L'ARGENT. DES SIGNES QU'UN AMANT COMMENCE A SE FATIGUER, ET DES MOYENS DE S'EN DÉBARRASSER.

L'argent s'obtient d'un amant de deux façons, savoir :

Par moyens naturels et légaux, et par artifices. De vieux auteurs sont d'avis que si une courtisane peut tirer de son amant autant d'argent qu'il lui en faut pour ses besoins, elle ne doit pas user d'artifice. Mais Vatsyayana établit que si elle peut obtenir de l'argent par des moyens naturels, en usant d'artifice elle obtiendra le double, et conséquemment, elle aura recours à l'artifice pour lui extorquer de l'argent de toute manière :

Or, les artifices à employer pour tirer de l'argent d'un amoureux sont les suivants :

— Elle lui demandera de l'argent à différentes occasions, pour acheter certains articles, tels qu'ornements, nourriture, boissons, fleurs, parfums et vêtements ; et elle ne les achètera pas du tout, ou les achètera moins cher.

— Elle lui vantera en face son intelligence.

— Elle se prétendra obligée de faire des cadeaux à l'occasion de festivals ayant pour sujets des vœux, des arbres, des jardins, des temples ou des réservoirs.

— Elle prétendra qu'en allant chez lui, elle a eu ses bijoux enlevés ·soit par les gardes du Roi, soit par des voleurs.

— Elle alléguera que sa propriété a été détruite par le feu, par l'effondrement de sa maison, ou par la négligence de ses domestiques.

— Elle prétendra avoir perdu les ornements de son amant avec les siens.

— Elle lui fera dire, par d'autres personnes, les frais que lui auront occasionnés ses déplacements pour aller le voir.

— Elle contractera des dettes au nom de son amant.

— Elle se querellera avec sa mère au sujet de quelque dépense faite par elle pour son amant et qui n'était pas approuvée de la mère.

— Elle n'ira pas aux parties ou fêtes qui se donneront chez ses amis, faute de présents à leur offrir, ayant d'abord informé son amant des riches cadeaux qu'elle a reçus de ces mêmes amis.

— Elle n'accomplira pas certaines cérémonies, sous le prétexte qu'elle n'a pas d'argent pour y vaquer.

— Elle engagera des artistes pour faire quelque chose au compte de son amant.

— Elle entretiendra des médecins et des ministres en vue de quelque objet.

— Elle assistera ses amis et ses bienfaiteurs, soit à l'occasion des fêtes, soit dans l'infortune.

— Elle observera les rites domestiques.

— Elle prétendra avoir à payer les frais de mariage du fils d'une amie.

— Elle aura à satisfaire des envies durant sa grossesse.

— Elle se dira malade et surchargera la note du traitement.

— Elle voudra tirer un ami d'embarras.

— Elle vendra quelques-uns de ses bijoux, pour faire un cadeau à son amant.

— Elle fera semblant de vendre une partie de ses ornements, de ses meubles, ou de ses ustensiles de cuisine, à un marchand qui aura été préalablement averti du rôle à jouer dans cette affaire.

— Elle aura besoin d'acheter des ustensiles de cuisine de plus grande valeur que ceux du commun, afin qu'ils puissent être plus aisément distingués, et ne risquent pas d'être changés contre d'autres de qualité inférieure.

— Elle rappellera les premières libéralités de son amant, et en fera continuellement parler par ses amies et ses suivantes.

— Elle vantera à son amant les gros bénéfices réalisés par d'autres courtisanes.

— Elle décrira devant celles-ci, en présence de son amant, ses propres bénéfices, qu'elle dira plus grands même que les leurs, quoique ce puisse ne pas être vrai.

— Elle résistera ouvertement à sa mère, si celle-ci veut la persuader de prendre des hommes qu'elle aurait précédemment connus, à cause des gros bénéfices qu'il y aurait à en tirer.

— Enfin elle fera remarquer à son amant la libéralité de ses rivaux.

Ainsi finissent les moyens de gagner de l'argent.

Une femme doit toujours reconnaître l'état d'esprit, les sentiments et la disposition de son amant à son égard, d'après les changements de son caractère, sa contenance, et la couleur de son visage.

La conduite d'un amant qui se refroidit est la suivante :

— Il donne à la femme moins que ce qui est nécessaire à ses besoins, ou, parfois, autre chose que ce qu'elle demande.

— Il la tient en haleine par des promesses.

— Il annonce qu'il fera une chose, et en fait une autre.

— Il ne satisfait pas ses désirs.

— Il oublie ses promesses, ou fait autre chose que ce qu'il a promis.

— Il cause avec ses propres domestiques d'une façon mystérieuse.

— Il passe la nuit dans une autre maison, sous le prétexte d'avoir quelque chose à faire pour un ami.

— Enfin, il cause en particulier avec les suivantes d'une femme qu'il connaissait précédemment.

Or, quand une courtisane s'aperçoit d'un changement dans les dispositions de son amant, elle doit mettre la main sur tout ce qu'elle possède de plus précieux avant qu'il ne puisse connaître ses intentions, et elle le laissera prendre de force à un créancier supposé, en payement de quelque dette imaginaire. Ensuite, si l'amant est riche et qu'il se soit toujours bien conduit avec elle, elle continuera de le traiter avec respect ; mais s'il est pauvre et sans ressources, elle s'en débarrassera comme si elle ne l'avait jamais vu auparavant.

Les moyens de se débarrasser d'un amant sont les suivants :

— Elle représentera les habitudes et les vices de l'amant comme désagréables et odieux, en ricanant du bout des lèvres et en frappant du pied.

— Elle lui parlera d'une affaire qu'il ne connaît pas.

— Elle ne montrera pas d'admiration pour son savoir, et le critiquera plutôt.

— Elle rabaissera son orgueil.

— Elle recherchera la compagnie d'hommes qui lui sont supérieurs en savoir et en sagesse.

— Elle témoignera de son dédain pour lui en différentes occasions.

— Elle critiquera les hommes qui ont les mêmes défauts que lui.

— Elle exprimera son déplaisir pour les modes de jouissance qui lui sont familiers.

— Elle ne lui donnera pas sa bouche à baiser.

— Elle lui refusera l'accès de son *jaghana*, c'est-à-dire de la partie de son corps entre le nombril et les cuisses.

— Elle montrera du dégoût pour les blessures faites par ses ongles et ses dents.

— Elle ne se serrera pas contre lui lorsqu'il l'embrassera.

— Elle restera les membres immobiles pendant le congrès.

— Elle voudra qu'il jouisse d'elle lorsqu'il sera fatigué.

— Elle rira de son attachement pour elle.

— Elle ne répondra pas à ses embrassements.

— Elle s'éloignera de lui lorsqu'il voudra l'embrasser.

— Elle fera semblant d'avoir sommeil.

— Elle sortira en visite, ou ira rejoindre une compagnie, lorsqu'elle le verra désireux de rester avec elle toute la journée.

— Elle affectera de mal comprendre ses paroles.

— Elle rira sans aucun motif, ou, s'il dit quelque plaisanterie, elle rira d'autre chose.

— Elle regardera de côté ses propres servantes, et claquera des mains lorsqu'il parlera.

— Elle l'interrompra au milieu de ses récits, et se mettra elle-même à raconter d'autres histoires.

— Elle divulguera ses défauts et ses vices, les déclarant incurables.

— Elle dira à ses servantes des mots calculés pour piquer au vif le cœur de son amant.

— Elle aura soin de ne pas le regarder lorsqu'il viendra la voir.

— Elle lui demandera ce qu'il ne pourrait lui accorder.

— Et finalement, elle le renverra.

Il y a aussi, sur ce sujet, deux versets dont voici le texte :

" Le devoir d'une courtisane consiste à nouer des relations avec des hommes convenables, après mûr examen : à s'attacher celui avec lequel elle s'est unie ; à obtenir de la richesse de celui qui lui est attaché, et à le renvoyer ensuite, après l'avoir dépouillé de toute sa fortune.

" Une courtisane, qui mène ainsi la vie d'une femme mariée, n'a pas l'embarras d'un grand nombre d'amants, et elle n'en tire pas moins abondance et richesse. "

IV

D'UNE NOUVELLE UNION
AVEC UN ANCIEN AMANT

Lorsqu'une courtisane abandonne son amant après lui avoir soutiré sa fortune, elle doit penser à une nouvelle union avec un ancien amant. Mais elle n'ira le retrouver que s'il est redevenu riche, ou s'il lui reste de la fortune, ou s'il lui est encore attaché. Et s'il arrive que cet homme à ce moment même, vive avec une autre femme, elle réfléchira bien avant d'agir.

Or, un tel homme ne peut être que dans l'une des six positions suivantes, savoir :

— Il peut avoir quitté la première femme de son propre mouvement, et même en avoir quitté une autre depuis.

— Il peut avoir été éconduit par les deux femmes.

— Il peut avoir quitté l'une des deux femmes de son propre mouvement, et avoir été éconduit par l'autre.

— Il peut avoir quitté l'une des femmes de son propre mouvement, et vivre avec une autre.

— Il peut avoir été éconduit par l'une et avoir quitté l'autre de son propre mouvement.

— Il peut avoir été éconduit par l'une des femmes, et vivre avec une autre.

*
**

Or, si l'homme a quitté les deux femmes de son propre mouvement, il n'y a pas lieu d'aller le retrouver vu l'inconstance de son esprit et son indifférence pour les belles qualités de ces deux femmes.

Quant à l'homme qui peut avoir été éconduit par les deux femmes, s'il l'a été par la dernière dans l'espoir qu'avait celle-ci de tirer plus d'argent d'un autre homme, alors, il y a lieu d'aller le retrouver ; car, s'il est encore attaché à la première femme, il lui donnera plus d'argent, par vanité et afin de dépiter l'autre femme. Mais s'il en a été éconduit pour sa pauvreté ou son avarice, il n'y a pas lieu d'aller le retrouver.

Dans le cas où l'homme aurait volontairement quitté l'une des femmes et aurait été éconduit par l'autre, s'il consent à revenir à la première et lui donne d'avance beaucoup d'argent, alors il y a lieu de l'accueillir.

Dans le cas où l'homme aurait volontairement quitté l'une des femmes, et vivrait avec une autre, la première, si elle désire le reprendre, doit d'abord s'assurer qu'il l'a quittée dans l'espoir de trouver chez l'autre femme quelque qualité exceptionnelle, et si, n'ayant pas trouvé ce qu'il espérait, il est disposé à lui revenir et à lui donner beaucoup d'argent, en considération de sa conduite et de l'affection qu'il a encore pour elle.

Ou bien, si, ayant découvert maints défauts chez l'autre femme, il a une tendance à trouver maintenant chez la première plus de qualités même qu'elle n'en a réellement, et s'il est disposé à lui donner beaucoup d'argent pour ces qualités.

Ou enfin, elle examinera si c'est un homme faible, ou qui aime à jouir de beaucoup de femmes, ou qui aimait une femme pauvre, ou qui n'a jamais rien fait pour la femme avec laquelle il vivait. Tout cela bien considéré, elle s'adressera ou non à lui, selon les circonstances.

Quant à l'homme qui peut avoir été éconduit par l'une des femmes, et avoir volontairement quitté l'autre, la première femme, si elle désire le reprendre, devra d'abord s'assurer s'il a encore de l'affection pour elle, et si en conséquence, il dépenserait pour elle beaucoup d'argent ; ou si, tout en aimant ses excellentes qualités, il a cependant du goût pour une autre femme ; ou si, ayant été éconduit par elle avant d'avoir complètement satisfait ses désirs sexuels, il ne désire pas lui revenir dans le but de venger l'injure qu'il a reçue ; ou encore, s'il ne désire pas lui inspirer confïance, et lui reprendre alors la fortune qu'elle lui a soutirée, et finalement la ruiner ; ou, enfin, s'il n'a pas l'intention de la faire rompre avec son amant et de briser ensuite lui-même. Si, tout cela considéré, elle croit que ses intentions sont réellement pures et honnêtes, elle peut contracter avec lui une nouvelle union. Mais si elle le soupçonne de mauvaises idées, elle devra y renoncer.

D'ans le cas où l'homme aurait été éconduit par une femme et vivrait avec une autre, s'il fait des ouvertures pour revenir à la première, la courtisane réfléchira bien avant d'agir, et pendant que l'autre femme sera occupée à se l'assurer, elle essayera à son tour, tout en restant cachée derrière la scène, de le reconquérir en faisant à elle-même les raisonnements ci-après :

— Il a été éconduit injustement et sans cause ; et maintenant qu'il s'est adressé à une autre femme, je dois faire tous mes efforts pour le ramener à moi.

— Si seulement il causait une fois avec moi, il briserait avec l'autre femme.

— Grâce à mon ancien amant, je rabaisserais l'orgueil de celui que j'ai aujourd'hui.

— Il est devenu riche, occupe une belle position, et remplit une charge élevée auprès du Roi.

— Il est séparé de sa femme.

— Il est maintenant indépendant.

— Il vit à part de son père, ou de son frère.

— En faisant la paix avec lui, je mettrai la main sur un homme très riche, que mon présent amant empêche seul de me revenir.

— Comme sa femme ne le respecte pas, je pourrai maintenant l'en séparer.

— L'ami de cet homme aime ma rivale, qui me déteste cordialement : ce sera une occasion de séparer l'homme de sa maîtresse.

— Et enfin, je jetterai sur lui du discrédit en le ramenant à moi, car je montrerai ainsi l'inconstance de son esprit.

Lorsqu'une courtisane est résolue à reprendre un ancien amant, son Pithamarda ou d'autres domestiques lui diront que, s'il a été précédemment éconduit, c'est grâce à la méchanceté de la mère ; que la fille l'aimait autant et plus que le premier jour, mais qu'elle a dû céder par déférence à la volonté de sa mère ; qu'elle souffre de son union avec son présent amant, et qu'elle le déteste au possible. Ils chercheront, de plus, à lui inspirer confiance en lui parlant de son ancien amour pour lui, et feront allusion à telle ou telle marque de cet amour dont elle s'est toujours souvenu. Cette marque d'amour lui rappellera une certaine sorte de plaisir qu'il aura pu pratiquer, comme, par exemple, sa manière de la baiser, ou sa manière d'opérer le congrès avec elle.

Ainsi finissent les moyens de former une nouvelle union avec un ancien amant.

Lorsqu'une femme peut choisir entre deux amants, dont l'un lui était précédemment uni et l'autre lui est étranger, les Acharyas (sages) sont d'avis que le premier est préférable parce que, ses goûts et son caractère lui étant bien connus par l'observation qu'elle en a faite, elle pourra aisément lui plaire et le contenter. Mais Vatsyayana pense qu'un ancien amant, qui a déjà dépensé une grande partie de sa fortune, ne peut ou ne veut pas donner encore de l'argent, et qu'il mérite, par conséquent, moins de confiance qu'un étranger. Il peut, toutefois, se présenter des cas en contradiction avec cette règle générale, suivant les différentes natures des hommes.

Il y a aussi, sur ce sujet, des versets dont voici le texte :

" Une nouvelle union avec un ancien amant peut être désirable, en vue de séparer telle ou telle femme de tel ou tel homme, ou tel ou tel homme de telle ou telle femme, ou encore de produire un certain effet sur le présent amant.

" Lorsqu'un homme est excessivement attaché à une femme, il redoute de la voir en contact avec d'autres hommes : il est alors tout à fait aveugle pour ses défauts, et il lui donne beaucoup d'argent, de peur qu'elle ne l'abandonne.

" Une courtisane doit être aimable pour l'homme qui lui est attaché, et rebuter celui qui n'a pas d'attention pour elle. Si, pendant qu'elle vit avec un homme, il lui arrive un messager de la part d'un autre homme, elle peut, soit se refuser à toute négociation, soit lui indiquer un jour où elle ira le voir ; mais elle ne doit pas quitter l'homme avec lequel elle vit et qui lui est attaché.

" Une femme sage, avant de reprendre sa liaison avec un ancien amant, doit s'assurer que cette nouvelle union aura pour accompagnement le bonheur, le gain, l'amour et l'amitié. "

V

DES DIFFÉRENTES SORTES DE GAIN

Si une courtisane peut réaliser chaque jour beaucoup d'argent, grâce à une nombreuse clientèle, elle ne doit pas s'attacher à un seul amant ; dans ce cas, elle fixera son prix pour une nuit, après avoir bien considéré le lieu, la saison, les ressources de ses clients, et aussi en comparant ses prix avec ceux d'autres courtisanes. Elle pourra informer de son tarif ses amants, amis et connaissances. Si, cependant, elle a la chance d'obtenir un gain d'un seul amant, elle pourra s'attacher à lui seul et vivre maritalement avec lui.

Maintenant, les Sages sont d'avis que, si une courtisane a la chance d'un gain égal de la part de deux amants à la fois, elle doit préférer celui qui lui donnerait précisément la chose dont elle a besoin.

Mais Vatsyayana dit qu'elle doit préférer celui qui lui donne de l'or, parce que l'or ne peut pas être repris comme d'autres objets, qu'on le reçoit facilement, et que c'est un moyen de se procurer tout ce qu'on désire. De toutes ces choses : or, argent, cuivre, métal de cloche, fer, vases, meubles, lits, vêtements de dessus, vêtements de dessous, substances parfumées, vaisseaux faits avec des gourdes, huile, blé, bestiaux, etc., la première, c'est-à-dire l'or, est supérieure à toutes les autres.

Si la conquête de deux amants exige la même peine, ou si l'on veut obtenir la même chose de chacun d'eux, il conviendra de s'en rapporter pour le choix à une amie ; ou bien l'on se décidera d'après les signes de bonne ou mauvaise fortune qu'ils pourront porter sur eux.

S'il y a deux amants, dont l'un est attaché à la courtisane, et l'autre est simplement très généreux, les Sages disent qu'il faut donner la préférence à l'amant généreux, mais Vatsyayana est d'avis qu'il vaut mieux préférer celui qui est attaché à la courtisane, parce qu'il peut devenir généreux ; en effet, un avare même donne de l'argent s'il est épris d'une femme, tandis qu'un homme simplement généreux n'aimera jamais avec attachement. Mais si, parmi ceux qui lui sont attachés, il y en a un pauvre et un riche, elle donnera naturellement la préférence au dernier.

S'il y a deux amants, dont l'un est généreux, et l'autre prêt à rendre un service à la courtisane, certains Sages disent qu'il faut préférer celui qui est prêt à rendre le service, mais dans l'opinion de Vatsyayana, un homme qui rend un service croit avoir tout gagné une fois la chose faite, tandis qu'un homme généreux ne pense plus à ce qu'il a donné. Ici même, la courtisane se décidera d'après les probabilités de bénéfices que pourra lui procurer son union avec l'un ou l'autre.

Si l'un des deux amants est reconnaissant, et l'autre libéral, certains Sages disent qu'il faut préférer le libéral ; mais, dans l'opinion de Vatsyayana, c'est le premier qu'il faut choisir, car les hommes libéraux sont généralement hautains, brusques en paroles et sans égards pour les autres. Ces hommes libéraux auront beau avoir été longtemps liés avec la courtisane, s'ils viennent à lui découvrir quelque défaut, ou si une femme leur en dit du mal, ils n'ont cure des services passés et rompent subitement. L'homme reconnaissant, au contraire, ne brise pas tout d'un coup avec elle : il a égard à la peine qu'elle peut s'être donnée pour lui plaire. Ici encore, le choix sera déterminé par les probabilités de l'avenir.

Lorsque la courtisane trouve à la fois une occasion de satisfaire à la requête d'un ami, et une chance de gagner de l'argent, les Sages disent qu'elle doit avant tout s'occuper de gagner de l'argent. Mais Vatsyayana est d'avis que l'argent peut se retrouver demain aussi bien qu'aujourd'hui, mais que si l'on néglige une fois la requête d'un ami, il peut en garder rancune. Ici encore, le choix sera déterminé par le meilleur résultat à obtenir.

En pareille occasion, toutefois, la courtisane pourra apaiser son ami en lui disant qu'elle a quelque chose à faire et qu'elle satisfera à sa requête le jour suivant : de cette manière, elle ne perdra point la chance de gagner l'argent qu'on lui offrait.

Si la chance de gagner de l'argent et celle d'éviter quelque désastre se présentent à la fois, les Sages sont d'avis qu'il faut préférer la chance de gagner de l'argent ; mais Vatsyayana dit que l'argent a une importance limitée, tandis qu'un désastre, une fois évité, peut ne plus revenir. Ici, au surplus, ce qui doit déterminer le choix, c'est la grandeur, ou l'insignifiance du désastre.

Les gains de la plus riche et de la meilleure classe de courtisanes seront affectés aux dépenses suivantes :

A bâtir des temples, réservoirs et jardins ; à donner un millier de vaches à différents Brahmanes ; à pratiquer le culte des Dieux et à célébrer des festivals en leur honneur, et, enfin, à s'acquitter des vœux qui pourront être dans leurs moyens.

Les gains des autres courtisanes seront dépensés comme suit :

A posséder un habillement blanc à porter chaque jour ; à se procurer nourriture et boisson en quantité suffisante pour apaiser faim et soif ; à manger chaque jour un *tambula* parfumé, c'est-à-dire un mélange de noix de bétel et de feuilles de bétel ; et à porter des ornements brodés d'or. Les Sages disent que ces dépenses représentent les gains de toutes les classes moyennes et inférieures de courtisanes ; mais Vatsyayana est d'avis que leurs gains ne peuvent être calculés ni fixés en aucune façon, attendu qu'ils dépendent des conditions du lieu, de la coutume du peuple, de leur propre physionomie, et de bien d'autres choses.

Si une courtisane veut empêcher un homme de s'adresser à une autre femme ; ou si elle veut le détacher d'une autre femme avec laquelle il est lié ; ou priver une femme des gains qu'elle en a tirés ; ou si elle croit qu'elle élèverait sa position, gagnerait de gros bénéfices et se rendrait désirable à tous les hommes en s'unissant avec celui-là ; ou bien, si elle désire se procurer son aide pour éviter quelque malheur ; ou si elle a en vue de faire du tort à quelqu'un par son moyen ; ou si elle a égard à quelque faveur qu'elle en a précédemment reçue ; ou si, pour s'unir à lui, elle n'est poussée que par le désir : dans n'importe lequel des cas ci-dessus, elle ne lui demandera qu'une petite somme d'argent, et d'une manière amicale.

Si une courtisane a l'intention d'abandonner un amant en titre et d'en prendre un autre ; ou si elle a des raisons de croire que son amant va la quitter bientôt et retourner à ses femmes ; ou qu'il a dissipé tout son argent et se trouve sans le sou, et que son tuteur, ou son maître, ou son père va venir le reprendre ; ou que son amant est sur le point de perdre sa position ; ou enfin, qu'il est d'humeur volage : dans tous ces cas elle devra essayer de tirer de lui le plus tôt possible autant d'argent qu'elle pourra.

D'un autre côté, si la courtisane pense que son amant est sur le point de recevoir de beaux présents ou d'obtenir une charge du Roi ; ou d'hériter d'une fortune ; ou qu'il a, tout près d'arriver, un navire chargé de marchandises ; ou qu'il possède de grands stocks de blé et d'autres denrées ; ou que, si elle fait quelque chose pour lui, ce ne sera pas peine perdue ; ou bien, qu'il est toujours fidèle à sa parole : alors elle prendra conseil de son bien-être à venir, et vivra avec lui comme une femme mariée.

Il y a aussi, sur ce sujet, des versets dont voici le texte :

" En vue de ses bénéfices présents et de son bien-être à venir, une courtisane doit éviter les hommes qui ont gagné avec beaucoup de peine leurs moyens de subsistance comme aussi ceux qui sont devenus égoïstes et durs en obtenant les faveurs du Roi.

" Elle fera tous ses efforts pour s'unir avec des personnages fortunés et libéraux, et avec ceux qu'il serait dangereux d'éviter ou d'offenser en quoi que ce soit. Même au prix de quelque sacrifice, elle se liera avec des hommes énergiques et généreux, qui, une fois satisfaits, lui donneront beaucoup d'argent, voire pour un très petit service, ou pour fort peu de chose. "

VI

DES GAINS ET DES PERTES, GAINS ET PERTES ACCESSOIRES. — DOUTES, ET ENFIN DES DIFFÉRENTES SORTES DE COURTISANES

Il arrive souvent que, lorsqu'on court après des gains ou qu'on espère en obtenir, les efforts n'aboutissent qu'à des pertes.

Les causes de ces pertes sont :

Faiblesse d'intelligence.
Amour excessif.
Excès d'orgueil.
Excès d'égoïsme.
Excessive simplicité.
Excès de confiance.
Excès de colère.
Paresse.
Insouciance.

Influence d'un mauvais génie.
Circonstances accidentelles.
Ces pertes ont pour résultats :

Des frais sans aucune compensation.
La ruine du bien-être futur.
La perte de gains qu'on allait réaliser.
L'aigrissement du caractère.
La misanthropie.
L'altération de la santé.
La perte des cheveux, et d'autres accidents.

Or, le gain est de trois sortes, savoir : gain de fortune, gain de mérite religieux, et gain de plaisir ; et pareillement, la perte est de trois sortes, savoir : perte de fortune, perte de mérite religieux, et perte de plaisir. Si, au moment où l'on poursuit des gains, d'autres gains viennent s'y ajouter, on appelle ceux-ci *gains accessoires*. Si le gain est incertain, le doute sur sa nature s'appelle un *simple doute*. Lorsqu'il y a doute sur le fait de savoir laquelle de deux choses arrivera ou non, cela s'appelle un *doute mixte*. Si, d'une chose qui se fait, il sort deux résultats, cela s'appelle une *combinaison de deux résultats ;* et si la même action produit plusieurs résultats, cela s'appelle une *combinaison de résultats multiples*.

Nous allons en donner des exemples :

Comme il a été dit, le gain est de trois sortes, et la perte, qui est l'opposé du gain, est aussi de trois sortes.

— Lorsque, en vivant avec un grand personnage, une courtisane acquiert de la richesse dans le présent, et qu'en même temps, elle se lie avec d'autres personnes, de manière à se procurer des chances de bien-être à venir et un accroissement de richesse, et devient ainsi universellement désirable, cela s'appelle un gain de richesse accompagné d'autre gain.

— Lorsque, en vivant avec un homme, une courtisane gagne simplement de l'argent cela s'appelle un gain de richesse non accompagné d'autre gain.

— Lorsqu'une courtisane reçoit de l'argent d'autres personnes que son amant, les résultats sont : la chance de perte du bien-être à venir que lui eût procuré son amant ; la chance de désaffection d'un homme qui lui était sincèrement attaché ; le mépris de tous ; et enfin, la chance d'une liaison avec quelque individu de bas étage qui lui perdra son avenir. Ce gain s'appelle un gain de richesse accompagné de perte.

— Lorsqu'une courtisane, à ses propres frais et sans aucun résultat en fait de gain, se lie avec un grand personnage ou un ministre avare, dans le but d'éviter quelque malheur ou d'écarter quelque obstacle à la réalisation d'un gros gain, cette perte s'appelle une perte de richesse accompagnée de gains futurs qui en peuvent résulter.

— Lorsqu'une courtisane est bonne, même à ses dépens, pour un homme ingrat habitué à conquérir des cœurs, sans qu'il en résulte pour elle, en fin de compte, aucun bénéfice, cette perte s'appelle une perte de richesse accompagnée d'aucun gain.

— Lorsqu'une courtisane est bonne pour des hommes tels que ceux décrits ci-dessus, mais qui, en outre, sont des favoris du Roi, cruels et puissants, et cela sans aucun bon résultat final et avec la chance pour elle d'être mise sur la paille à tout moment, cette perte s'appelle une perte de richesse accompagnée d'autres pertes.

De cette manière, les gains et les pertes, ainsi que les gains et pertes accessoires en mérite religieux et en plaisirs, sont exposés aux yeux du lecteur, qui peut en établir aussi différentes combinaisons.

Ainsi finissent les remarques sur les gains et les pertes et sur les gains et les pertes accessoires.

Nous arrivons maintenant aux doutes, qui sont encore de trois sortes, savoir : doutes sur la richesse, doutes sur le mérite religieux, doutes sur les plaisirs. En voici des exemples :

— Lorsqu'une courtisane n'est pas certaine de ce qu'un homme peut lui donner ou dépenser pour elle, cela s'appelle un doute sur la richesse.

— Lorsqu'une courtisane doute si elle est bien fondée à éconduire tout à fait un amant dont elle ne peut plus rien tirer, attendu qu'elle lui a pris toute sa fortune du premier coup, ce doute s'appelle un doute sur le mérite religieux.

— Lorsqu'une courtisane ne peut posséder un amant à sa fantaisie, et ne sait si elle tirera jamais du plaisir d'un homme entouré de sa famille, ou d'un individu de bas étage, cela s'appelle un doute sur le plaisir.

— Lorsqu'une courtisane ne sait si quelque personnage puissant, mais mal intentionné, ne lui causera pas de la perte au cas où elle manquerait pour lui de déférence, cela s'appelle un doute sur la perte de la richesse.

— Lorsqu'une courtisane doute si elle ne perdrait pas du mérite religieux en abandonnant un homme qui lui est attaché, sans lui accorder la plus légère faveur, et en causant ainsi son malheur dans ce monde et dans l'autre, ce doute s'appelle un doute sur la perte de mérite religieux.

— Lorsqu'une courtisane ne sait si elle ne courrait pas un risque de perdre l'affection de son amant en s'ouvrant à lui et en lui révélant son amour, et de manquer ainsi la satisfaction de son désir, cela s'appelle un doute sur la perte de plaisir.

Ainsi finissent les remarques sur les doutes.

Doutes mixtes

— Le commerce ou liaison avec un étranger, dont on ne connaît pas les intentions, et qui peut avoir été introduit soit par un amant, soit par une personne en charge, est susceptible de produire du gain ou de la perte ; et, conséquemment, cela s'appelle un doute mixte sur le gain ou la perte de richesse.

— Lorsqu'une courtisane, sur la prière d'un ami ou par un sentiment de pitié, a commerce avec un Brahmane lettré, un étudiant religieux, un sacrificateur, un dévot ou un ascète, qui peuvent, l'un ou l'autre s'être épris d'amour pour elle au point d'en être malades à mourir, ce faisant elle peut gagner ou perdre du mérite religieux, et, conséquemment, cela s'appelle un doute mixte sur le gain ou la perte de mérite religieux.

— Si une courtisane s'en rapporte uniquement au témoignage des autres, aux *on dit*, à l'égard d'un homme et va le trouver sans s'assurer d'abord s'il possède ou non de bonnes qualités, elle peut ou gagner ou perdre du plaisir, suivant que cet homme sera bon ou mauvais, et, conséquemment, cela s'appelle un doute mixte sur le gain ou sur la perte de plaisir.

Uddalika a décrit comme suit les gains et les pertes des deux côtés :

— Si, en vivant avec un amant, une courtisane en tire à la fois richesse et plaisir, cela s'appelle un gain des deux côtés.

— Lorsqu'une courtisane vit avec un amant à ses propres frais, sans en tirer aucun profit, et que l'amant lui reprend même ce qu'il peut lui avoir autrefois donné, cela s'appelle une perte des deux côtés.

— Lorsqu'une courtisane ne sait si un nouvel amant lui deviendrait attaché, ou même si, lui devenant attaché, il lui donnerait quelque chose, cela s'appelle un doute des deux côtés sur les gains.

— Lorsqu'une courtisane ne sait si un ancien ennemi, dont elle se rapproche de son propre mouvement, ne voudra pas lui faire du mal pour satisfaire sa rancune ; ou si, lui devenant attaché, il ne pourra pas, dans un moment de colère, lui reprendre ce qu'il peut lui avoir donné, cela s'appelle un doute des deux côtés sur la perte.

Babhravya a ainsi décrit les gains et les pertes des deux côtés :

— Lorsqu'une courtisane a la chance de tirer de l'argent d'un homme qu'elle peut aller voir, et aussi d'un homme qu'elle peut ne pas aller voir, cela s'appelle un gain des deux côtés.

— Lorsqu'une courtisane a des dépenses à faire pour aller voir un homme, mais aussi court le risque d'une perte irrémédiable si elle ne va pas le voir, cela s'appelle une perte des deux côtés.

— Lorsqu'une courtisane ne sait si un homme qu'elle irait voir lui donnerait quelque chose, sans avoir elle-même à faire de dépense, ou si, en le négligeant, elle obtiendrait quelque chose d'un autre homme, cela s'appelle un doute des deux côtés sur le gain.

— Lorsqu'une courtisane ne sait si, en allant à ses frais voir un vieil ennemi, il ne lui reprendrait pas ce qu'il peut lui avoir donné, ou si, en n'allant pas le voir il ne lui attirerait pas quelque désastre, cela s'appelle un doute des deux côtés sur la perte.

En combinant les cas ci-dessus, on obtient six sortes de résultats mixtes, savoir :

Gain d'un côté, et perte de l'autre.

Gain d'un côté, et doute de gain de l'autre.

Gain d'un côté, et doute de perte de l'autre.

Perte d'un côté, et doute de gain de l'autre.

Doute de gain d'un côté, et doute de perte de l'autre.

Doute de perte d'un côté, et perte de l'autre.

Une courtisane, après avoir bien considéré tout ce qui précède et pris conseil de ses amis, doit agir de façon à s'assurer du gain, des chances de gros gains, et des garanties contre quelque grand désastre. Le mérite religieux et le plaisir peuvent aussi faire l'objet de combinaisons séparées comme celles de la richesse et tous les trois seront ensuite combinés l'un avec l'autre, de manière à former de nouvelles combinaisons.

Lorsqu'une courtisane a commerce avec plusieurs hommes, elle doit tirer de chacun d'eux de l'argent aussi bien que du plaisir. A des époques déterminées, telles que les Festivals de Printemps, etc., elle fera annoncer par sa mère à différentes personnes que, tel ou tel jour, sa fille passera son temps avec l'homme qui satisfera tel ou tel de ses désirs.

Lorsque des jeunes gens l'approchent tout ravis d'aise, elle doit réfléchir à ce qu'elle peut en tirer.

Les combinaisons de gains et de pertes de tous côtés sont : gain d'un seul côté et perte de tous les autres ; perte d'un seul côté et gain de tous les autres ; gains de tous côtés, perte de tous côtés.

Une courtisane doit aussi peser les doutes sur le

gain et les doutes sur la perte, en ce qui concerne la richesse, le mérite religieux et le plaisir.

Ainsi finit l'exposé du gain, de la perte, des gains accessoires, des pertes accessoires et des doutes.

*
**

Les différentes sortes de courtisanes sont :
Une maquerelle.
Une servante.
Une femme dissolue.
Une danseuse.
Une ouvrière.
Une femme qui a quitté sa famille.
Une femme qui vit sur sa beauté.
Et finalement, une courtisane de profession.

Toutes ces sortes de courtisanes sont en relation avec différentes sortes d'hommes, elles doivent songer aux moyens d'en tirer de l'argent, de leur plaire, de s'en séparer et de se mettre avec eux. Elles doivent aussi prendre en considération les gains et les pertes particuliers, les gains et pertes accessoires, et les doutes, suivant la condition de chacune.

Ainsi finit l'examen des courtisanes.

Il y a aussi, sur ce sujet, deux versets dont voici le texte :

" Les hommes veulent du plaisir, tandis que les

femmes veulent de l'argent ; elles doivent, en conséquence, étudier cette Partie, qui traite des moyens de
s'enrichir.

" Il y a des femmes qui cherchent de l'amour, et
il y en a d'autres qui cherchent de l'argent : les
unes apprendront, dans les premières parties de cet
ouvrage, ce qui concerne l'amour, et les autres trouveront dans celles-ci les moyens de gagner de
l'argent, tels que les pratiquent les courtisanes. "

FIN DE LA SIXIÈME PARTIE

SEPTIÈME PARTIE

DES MOYENS
DE S'ATTACHER
LES AUTRES

I

DE LA PARURE PERSONNELLE ;
DE LA SÉDUCTION DES CŒURS ;
ET DES MÉDECINES TONIQUES

Lorsqu'une personne ne réussit pas à obtenir l'objet de ses désirs par l'un quelconque des moyens indiqués plus haut, elle doit alors recourir à d'autres moyens de s'attacher les autres.

Or, une bonne mine, de bonnes qualités, de la jeunesse et de la libéralité sont les moyens principaux et les plus naturels de se rendre agréable aux yeux des autres. Mais, en leur absence, un homme ou une femme aura recours à des moyens artificiels, ou à l'art, et voici, en conséquence quelques recettes qu'on pourra trouver utiles :

— Un onguent, composé de *tabernamontana coronaria,* de *costus speciosus* ou *arabicus,* et de *flacourtia cataphracta,* sera employé comme onguent de parure.

— Faites, avec les plantes ci-dessus, une poudre fine que vous appliquerez sur la mèche d'une lampe où l'on brûle de l'huile de vitriol bleu : le pigment noir ou noir de lampe qui en résultera, appliqué sur les cils, a la vertu de faire paraître aimable.

— L'huile de *hogweed,* l'*échite putescens,* la plante *sarina,* l'amarante jaune et la feuille de nymphéa, appliquées sur le corps, ont la même vertu.

— Un pigment noir provenant des mêmes plantes a un effet semblable.

— En mangeant de la poudre de *nelumbrium speciosum,* du lotus bleu, et du *mesna roxburghii,* avec du beurre clarifié et du miel, un homme devient aimable aux yeux des autres.

— Les substances ci-dessus, mêlées à la *tabernamontana coronaria* et au *xanthochymus pictorius,* et réduites en onguent, produisent les mêmes résultats.

— Un os de paon ou d'hyène, couvert d'or et attaché sur la main droite rend un homme aimable aux yeux des autres.

— De même, en s'attachant à la main un chapelet fait de grains de jujube, ou de coquillages, et enchanté par les incantations mentionnées au Véda Artharnava, ou par les incantations de personnes versées dans la science magique, on obtiendra les mêmes résultats que ci-dessus.

— Lorsqu'une servante arrive à l'âge de la puberté son maître doit la tenir à part ; et lorsque par suite de sa réclusion et de la difficulté de l'approcher, les hommes la désireront avec plus d'ardeur, il donnera sa main à celui qui lui assurera richesse et bonheur.

Ceci est un moyen d'augmenter aux yeux des autres l'amabilité d'une personne.

De même, lorsque la fille d'une courtisane arrive à l'âge de puberté, la mère assemblera un certain nombre de jeunes gens de même âge, disposition et savoir que sa fille, et leur dira qu'elle est prête à la donner en mariage à qui lui fera des présents de telle ou telle espèce.

Ensuite, la fille sera tenue aussi recluse que possible, et la mère la donnera en mariage à l'homme qui pourra être prêt à faire les présents convenus. Si la mère ne peut tout obtenir de l'homme, elle produira quelque objet à elle appartenant comme donné à sa fille par le fiancé.

Ou encore la mère pourra permettre à sa fille d'épouser l'homme privément, comme si elle ignorait toute l'affaire, et alors, faisant semblant d'apprendre ce qui s'est passé elle donnera son consentement à l'union.

La fille, aussi, se rendra aimable aux yeux des fils de citoyens riches, inconnus de sa mère, et, afin de se les attacher, les rencontrera aux heures des leçons de chant, dans les endroits où se fera de la musique, dans des maisons étrangères ; et alors elle priera sa mère, par l'entremise d'une amie ou d'une servante, de lui permettre de s'unir à celui qui lui plaira le plus.

Lorsque la fille d'une courtisane est ainsi donnée à un homme, elle devra observer les obligations du mariage pendant une année, après quoi elle pourra faire ce qu'elle voudra. Mais, même cette année expirée, si son premier mari l'invite de temps en temps à venir le voir, elle renoncera au gain du moment et ira passer la nuit avec lui.

Tel est le mode de mariage temporaire usité chez les courtisanes, et la manière d'accroître leur amabilité. Ce qui en a été dit peut aussi s'entendre des filles de danseuses, que leurs mères donneront seulement à des hommes capables de leur être utiles de diverses façons.

Ainsi finissent les moyens de se rendre aimable aux yeux des autres.

— Si un homme, après avoir frotté son lingam avec un mélange de poudre de pomme épineuse, de poivre long, de poivre noir et de miel, a un commerce sexuel avec une femme, il la soumet entièrement à sa volonté.

— L'application d'un mélange de feuilles de la

plante *vatodbhranta,* de fleurs jetées sur un cadavre humain au moment où on va le brûler, et de poudre d'os de paon ou de l'oiseau *jiwanjiva,* produit le même effet.

— Les restes d'un milan mort de mort naturelle, réduits en poudre mêlés avec du *cowach* et du miel, ont aussi le même effet.

— En se frottant avec un onguent fait de la plante *emblica myrabolans,* on acquiert le pouvoir de soumettre les femmes à sa volonté.

— Coupez en menus morceaux les pousses de la plante *vajnasunhi,* plongez-les dans un mélange d'arsenic rouge et de soufre, et faites-les sécher sept fois : en appliquant sur votre lingam cette poudre mêlée avec du miel, vous soumettrez une femme à votre volonté dès que vous l'aurez possédée. Ou bien, brûlez ces mêmes pousses la nuit, et si en regardant la fumée, vous voyez derrière une lune d'or, vous êtes sûr de réussir avec n'importe quelle femme. Ou bien encore, mêlez de cette poudre avec les excréments d'un singe, et jetez-la sur une jeune fille vierge : elle ne sera donnée en mariage à personne autre que vous.

— Accommodez des morceaux d'*arris-root* avec de l'huile de mangue, et laissez-les pendant six mois au fond d'un trou pratiqué dans le tronc de l'arbre *sisu* ; retirez-les ensuite et faites-en un onguent que vous appliquerez sur le lingam : c'est, dit-on, un moyen de subjuguer les femmes.

— Plongez l'os d'un chameau dans le suc de la plante *eclipta prostata,* puis brûlez-le et mettez le pigment noir produit par les cendres dans une boîte faite aussi de l'os d'un chameau ; si vous vous l'appliquez avec de l'antimoine sur les cils, au moyen d'un pinceau fait aussi de l'os d'un chameau, ce pigment passe pour être très pur, sain pour les yeux, et a la vertu de soumettre les autres à celui qui en fait usage. Un pigment noir fait d'os de faucons, vautours et paons, peut produire le même effet.

Ainsi finissent les moyens de soumettre les autres à sa volonté.

Maintenant, voici les moyens d'accroître la vigueur sexuelle :

— Un homme acquiert de la vigueur sexuelle en buvant du lait mêlé avec du sucre, de la racine de la plante *uchbata,* du poivre *chaba,* et de la réglisse.

— Du lait sucré, où l'on a fait bouillir un testicule de bélier ou de bouc, produit de la vigueur.

— Même effet produit par le suc du *heydsarum gangeticum,* du *kuili* et du *kshirika* mêlé avec du lait.

— La graine du poivre long, celle du *sanseviara roxburghiana* et du *heydsarum gangeticum,* le tout moulu ensemble et mêlé avec du lait, produisent un résultat semblable.

— Suivant d'anciens auteurs, si un homme moud des graines ou des racines de *trapa bispinosa,* de *kasurika,* de jasmin toscan et de réglisse, avec du *kshirakapoli* (sorte d'oignon), et met la poudre dans du lait mêlé de sucre et de *ghee* (beurre clarifié), puis, après avoir fait bouillir tout ce mélange sur un feu modéré, boit lè sirop ainsi formé, il sera en mesure de jouir d'une quantité innombrable de femmes.

— De même si un homme mêle du riz avec des œufs de moineau, puis, après les avoir fait bouillir dans du lait, y ajoute du *ghee* et du miel et en boit autant qu'il est nécessaire, il obtiendra le même résultat.

— Si un homme prend des écorces de graines de sésame et les trempe dans des œufs de moineau, puis, après les avoir fait bouillir dans du lait mêlé de sucre et de *ghee,* avec des fruits, de *trapa bispinosa* et de *kasurika,* et y avoir ajouté de la farine de froment et de fèves, boit cette composition, il aura, dit-on, le pouvoir de jouir d'une infinité de femmes.

— Mêlez ensemble du *ghee,* du sucre et de la réglisse en égales quantités, puis du sucre de fenouil et du lait : cette composition nectarienne est réputée sainte, précieuse pour la vigueur sexuelle, préservatrice de la vie et agréable au goût.

— Buvez un sirop composé d'*asparagus racemosus,* des plantes *shwadausthra* et *gaduchi,* de poivre long et de réglisse, bouilli avec du lait, du miel et du *ghee,* au printemps cela produit, dit-on, le même effet que ci-dessus.

— Faites bouillir dans de l'eau de l'*asparagus racemosus* et de la plante *shwadausthra,* avec des fruits écrasés de *premna spinosa,* et buvez cette composition : elle a, dit-on, la même vertu.

— Buvez du *ghee* bouilli, ou beurre clarifié, le matin pendant la saison du printemps : cela passe pour être sain, fortifiant et agréable au goût.

— Mêlez ensemble, par parties égales, de la graine de *shwadausthra* et des fleurs d'orge, et, chaque matin en vous levant, mangez-en un peu, du poids de deux *palas* environ : cette recette a le même effet que la précédente.

Il y a aussi à ce sujet, des versets dont voici le texte :

" Les moyens de produire l'amour et la vigueur sexuelle sont enseignés par la science médicale, par les Védas, par les personnes qui sont initiées aux arts magiques, et par des parents ou amis intimes. On ne doit essayer d'aucun moyen d'un effet douteux, capable de détériorer le corps, impliquant la mort d'animaux et mettant en contact avec des choses impures. Les seuls moyens à employer doivent être sains, et approuvés par les Brahmanes et les amis. "

II

DES MOYENS D'EXCITER LE DÉSIR. — EXPÉRIENCES ET RECETTES DIVERSES

Lorsqu'un homme est incapable de satisfaire une femme Hastini, ou éléphant, il doit recourir à divers moyens pour éveiller chez elle le prurit. D'abord il lui frottera le *yoni* avec sa main ou ses doigts, et n'en viendra au congrès que si elle est déjà excitée ou ressent du plaisir. C'est là un des moyens d'exciter une femme.

Ou bien, il fera usage de certains *apadravyas*, sortes d'objets qu'on se met sur le lingam ou autour, afin d'augmenter sa longueur ou sa grosseur, de façon à remplir le *yoni*. D'après Babhravya, ces *apadravyas* doivent être faits en or, argent, cuivre, fer, ivoire, corne de buffle, bois de diverses sortes, étain ou plomb ; ils doivent être doux, frais, aptes à provoquer la vigueur sexuelle, et tout à fait propres au but proposé. Vatsyayana, toutefois, dit que chacun peut les façonner à sa fantaisie.

Voici les différentes sortes d'*apadravyas* :

— Le brassard *(valaya)* : il doit être de la même grandeur que le lingam, et sa surface extérieure doit être semée d'aspérités.

— Le couple *(sanghati)*, formé de deux brassards.

— Le bracelet *(chudaka)*, fait de trois brassards, ou plus, joints ensemble, jusqu'à ce qu'ils arrivent à la longueur de lingam requise.

— Le bracelet simple, formé d'un simple fil de fer enroulé autour du lingam, suivant ses dimensions.

— Le *kantuka* ou *jalaka* : c'est un tube ouvert aux deux extrémités, avec un trou dans toute sa longueur, raboteux en dehors et semé de bosses douces, dont les dimensions sont calculées sur celles du *yoni ;* on se l'attache à la ceinture.

Si l'on n'a pas cet objet sous la main, on pourra faire usage d'un tube façonné avec du bois de pommier, ou avec la tige tubulaire d'une gourde, ou avec un roseau frotté d'huile et d'extraits de plantes ; on se l'attachera de même à la ceinture avec des cordons. Des morceaux de bois polis, liés ensemble, peuvent aussi servir.

Les engins ci-dessus peuvent être employés concur-remment avec le lingam, ou en son lieu et place.

Les gens des contrées méridionales croient qu'il n'y a point de plaisir sexuel véritable si le lingam n'est perforé, et, en conséquence, ils se le font percer comme on perce les lobes des oreilles à un enfant pour y mettre des boucles d'oreilles.

Or, si un jeune homme veut se perforer le lingam, il doit le percer avec un instrument très aigu, puis se tenir dans l'eau aussi longtemps que le sang continue à couler. Le soir, il aura un commerce sexuel, actif même, de manière à nettoyer le trou. Après cela, il continuera à laver le trou avec des décoctions, et il l'agrandira en y introduisant de petits morceaux de roseau et de la *wrightia antidysenterica,* qui élargiront graduellement l'orifice. On peut aussi le laver avec de la réglisse mêlée de miel, et, pour agrandir le trou, employer la tige du fruit du *simapalra.* Enfin, on devra oindre le trou avec un peu d'huile.

Dans ce trou pratiqué au travers du lingam, on peut mettre des *apadravyas* de diverses formes, tels que le *rond,* le *rond d'un côté,* le *mortier de bois,* la *fleur,* le *brassard,* l'*os de héron,* l'*aiguillon à éléphant,* la *collection de huit balles,* la *mèche de cheveux,* et d'autres objets dénommés suivant leur forme ou la manière de s'en servir. Tous ces *apadravyas* doivent être raboteux au dehors, selon leur objet particulier.

Venons maintenant aux moyens de renforcer le lingam.

Lorsqu'un homme désire se renforcer le lingam, il doit le frotter avec les poils de certains insectes qui vivent dans les arbres ; puis, après l'avoir graissé avec des huiles pendant dix nuits, il frictionnera de nouveau avec les mêmes poils comme précédemment. En continuant de la sorte, il obtiendra un gonflement graduel du lingam, et alors il devra se coucher sur un lit volant, et laisser pendre son lingam par un trou pratiqué dans ce lit. Après cela, il fera disparaître, au moyen de décoctions fraîches, toute la douleur qui lui aura causée le gonflement. Ce gonflement, qu'on appelle *suka,* et qu'on rencontre fréquemment chez les habitants du pays de Dravida, dure pour la vie.

Si l'on se frotte le lingam avec les choses suivantes, savoir : la plante *physalis flexuosa,* la plante *shavara-kandaka,* la plante *jalasuka,* le fruit de la plante aux œufs, le beurre de bufflonne, la plante *hasti-charma,* et le suc de la plante *vajra-rasa,* on obtiendra un gonflement qui durera un mois.

En le frottant avec de l'huile bouillie dans des décoctions des choses ci-dessus, on obtiendra le même effet, mais pour six mois.

On fera aussi grossir le lingam en le frottant ou

lotionnant avec de l'huile bouillie sur un feu modéré, à laquelle on aura mêlé des graines de grenadier et de concombre, et les sucs de la plante *valuka,* de la plante *hasti-charma* et de la *plante aux œufs.*

En outre de ce qui précède, on pourra se faire enseigner d'autres moyens par des personnes expérimentées et sûres.

Voici, enfin, diverses expériences et recettes :

— Si un homme, après avoir mêlé de la poudre de plante de haie laiteuse et de plante *kantala* avec des excréments de singe et de la racine moulue de la plante *lanjalika,* jette ce mélange sur une femme, elle n'aimera plus personne autre.

— Si un homme fait une sorte de gelée avec le jus des fruits de la *cassia fistula* et de l'*eugenia jambolina,* en le mêlant avec de la poudre de la plante *soma,* de la *vernonia anthelmintica,* de l'*eclipta prostata,* et de la *lohopajighirka* et applique cette composition sur le *yoni* d'une femme, avec laquelle il a ensuite commerce sexuel, son amour pour cette femme cessera aussitôt.

— Même effet, si un homme a commerce avec une femme qui s'est baignée dans le lait de beurre d'une bufflonne, mêlé avec de la poudre de la plante *gopalika lika,* de la plante *banapadika* et de l'amarante jaune.

— Un onguent composé de fleurs de la *nauclea cadamba,* de la prune à porc et de l'*eugenia jambolina,* et employé par une femme, la fait détester de son mari.

— Des guirlandes faites avec les mêmes fleurs, et portées par une femme, produisent le même effet.

— Un onguent fait avec le fruit de l'*asteracantha longifolia (kokilajksha)* contracte le *yoni* d'une femme Hastini ou éléphant, et cette contraction dure une nuit.

— Un onguent fait avec les racines moulues du *nelumbrium speciosum* et du lotus bleu, et avec la poudre de la plante *physalis flexuosa,* mêlée de *ghee* et de miel, dilate le *yoni* de la femme Mrigi ou biche.

— Un onguent composé avec le fruit de l'*emblicas myrabolans,* trempé dans le suc laiteux de la plante à lait, de la plante *soma,* de la *calotropis gigantea* et dans le jus du fruit de la *vernonia anthelmintica,* fera blanchir les cheveux.

— Le suc des racines de la plante *madayantaka,* de l'amarante jaune, de la plante *anjanika,* de la *clitoria ternateea* et de la plante *shlasknaparni,* employé comme lotion, fera pousser les cheveux.

— Un onguent composé avec les susdites racines bouillies dans de l'huile, et employé comme friction, noircira les cheveux, et fera aussi repousser graduellement ceux qui sont tombés.

— Si l'on trempe de la laque sept fois, jusqu'à saturation, dans la sueur du testicule d'un cheval blanc, et qu'on l'applique sur une lèvre rouge, cette lèvre deviendra blanche.

— La couleur des lèvres pourra se rétablir au moyen de la *madayantaka* et autres plantes mentionnées plus haut.

— Une femme qui entend un homme jouer d'un chalumeau trempé dans les sucs de la plante *bahupadika,* de la *tabernamontana coronaria,* du *costus speciosus* ou *arabicus,* du *pinus deodora,* de l'*euphorbia antiquorum,* et des plantes *vajra* et *kantaka* devient son esclave.

— Si l'on mélange des aliments avec le fruit du pommier épineux *(datbura)* il en résulte un empoisonnement.

— Si l'on mélange de l'eau avec de l'huile et avec les cendres d'une herbe quelconque, sauf l'herbe *kusha,* cette eau prend la couleur du lait.

— Si l'on moud ensemble le *myrabolans* jaune, la prune à porc, la plante *shrawana* et la plante *priyangu* et qu'on applique cette poudre sur des vases en fer, ces vases deviendront rouges.

— Si, ayant allumé une lampe remplie d'huile extraite des plantes *shrawana* et *priyangu,* et dont la mèche est faite avec de la toile et des languettes de peau de serpent, on place auprès de longs morceaux de bois, ces morceaux de bois ressembleront à autant de serpents.

— Boire du lait d'une vache blanche qui a un veau blanc à ses pieds est de bon augure, donne bonne renommée, et conserve la vie.

— Les bénédictions propitiatoires de vénérables Brahmanes ont le même effet.

Il y a aussi quelques versets en conclusion :

" C'est ainsi que j'ai écrit en peu de mots la *Science d'amour,* après avoir lu les textes d'anciens auteurs, et en observant les moyens de jouissance y mentionnés.

" Celui qui connaît bien les véritables principes de cette science, prend conseil de Dharma, Artha, Kama, ainsi que de sa propre expérience et des renseignements d'autrui, et il n'agit pas simplement au gré de sa fantaisie. Quant aux erreurs dans la science d'amour que j'ai mentionnées au cours de cet ouvrage, de ma propre autorité comme auteur, je les ai, immédiatement après, soigneusement censurées et prohibées.

" Un acte ne doit jamais être excusé pour la simple raison que la science l'autorise ; car il faut bien se rappeler que, dans l'intention de la science, c'est seulement dans des cas particuliers que ses règles sont applicables. Après avoir lu et médité les ouvrages de Babhravya et d'autres anciens auteurs, et bien examiné le sens des règles par eux édictées, Vatsyayana a composé les *Kama Soutra,* conformément aux préceptes de la Sainte Ecriture pour le bénéfice du monde alors qu'il menait la vie d'un étudiant religieux et qu'il était totalement absorbé dans la contemplation de la Divinité.

" Cet ouvrage n'a pas été fait pour servir de simple instrument à satisfaire nos désirs. Une personne qui, possédant les vrais principes de cette science, cultive avec soin son Dharma, son Artha et son Kama, et tient en considération les pratiques du peuple, est sûre d'arriver à maîtriser ses sens.

" En résumé, une personne intelligente et prudente qui s'occupe de Dharma et d'Artha, et aussi de Kama, sans devenir l'esclave de ses passions, réussira dans toute chose qu'elle pourra entreprendre. "

FIN DU KAMA SOUTRA

POSTFACE
DE L'ÉDITION ANGLAISE

Ainsi se trouvent parachevés, en sept Parties, *les* Kama Sutra *de Vatsyayana, qu'on pourrait appeler autrement un Traité sur les hommes et les femmes, sur leurs relations et leurs unions mutuelles.*

C'est un ouvrage que tous, vieux ou jeunes, devraient étudier : les premiers y trouveront des vérités réelles, recueillies par l'expérience et déjà éprouvées par eux-mêmes ; les autres y apprendront, à leur grand avantage, des choses que peut-être ils n'apprendraient nulle part ailleurs, ou qui ne leur seraient connues que trop tard pour en profiter (" trop tard ! ", ces mots immortels de Mirabeau).

On peut aussi le recommander sans crainte à ceux qui étudient la science sociale et l'anthropologie, et surtout aux investigateurs de ces idées primitives, qui ont graduellement filtré à travers les sables du temps, et qui paraissent prouver que la nature humaine d'aujourd'hui est à peu de chose près la même que la nature humaine des premiers âges.

Il a été dit de Balzac, le grand romancier français (sinon le plus grand), qu'il semblait avoir reçu de la nature une perception intuitive des passions des hommes et des femmes, et qu'il les a décrites avec une puissance d'analyse digne d'un homme de science. L'auteur du présent ouvrage, lui aussi, doit avoir profondément connu le cœur humain. Une foule de ses remarques sont tellement empreintes de simplicité, de vérité, qu'elles ont résisté à l'épreuve du temps, et qu'elles subsistent, aussi claires et aussi vraies qu'à l'époque où elles ont été formulées, il y a peut-être dix-huit cents ans.

A propos de cette collection de faits, exposés dans une langue simple et sans prétentions, il convient d'observer qu'en ces âges reculés, on ne songeait guère apparemment à embellir un ouvrage par l'élégance du style, une phraséologie abondante et un amas d'ornements superflus. L'auteur dit au monde ce qu'il sait, avec la plus grande concision, et sans faire le moindre effort pour donner un récit intéressant. Combien de romans ne pourrait-on point bâtir sur ses données ! Et de fait, une grande partie des matières contenues dans les IIIe, IVe, V[e] et

VI *Parties, a servi de thème à une foule d'histoires et de contes des siècles passés.*

On trouve, dans la VII *Partie, de curieuses recettes. Beaucoup paraissent aussi primitives que le livre lui-même ; mais, dans certains ouvrages posté-rieurs de même nature, ces recettes et prescriptions ont gagné sous le double rapport de la quantité et de la qualité. Dans l'*Anunga Runga *ou* Stage d'Amour, *dont notre Préface fait mention, il n'y a pas moins de trente-trois sujets différents pour les-quels sont données cent trente recettes et prescrip-tions.*

Ces détails pouvant intéresser, voici l'énumération des trente-trois sujets :

1. Pour hâter le paroxysme de la femme.

2. Pour retarder l'orgasme de l'homme.

3. Aphrodisiaques.

4. Pour renforcer et faire grossir le lingam, en le rendant sain et fort, dur et nerveux.

5. Pour rétrécir et contracter le yoni.

6. Pour parfumer le yoni.

7. Pour enlever et détruire les poils du corps.

8. Pour faire cesser l'arrêt soudain des menstrues.

9. Pour réduire l'écoulement immodéré des mens-trues.

10. Pour purifier l'utérus.

11. Pour produire la grossesse.

12. Pour prévenir les fausses couches et autres accidents.

13. Pour assurer un travail facile et une prompte délivrance.

14. Pour limiter le nombre des enfants.

15. Pour faire épaissir et embellir les cheveux.

16. Pour leur donner une belle couleur noire.

17. Pour les blanchir et leur donner une teinte claire.

18. Pour les renouveler.

19. Pour nettoyer la peau du visage des éruptions qui, en crevant, y laissent des taches noires.

20. Pour enlever la couleur noire de l'épiderme.

21. Pour renforcer les seins des femmes.

22. Pour redresser et durcir les seins pendants.

23. Pour parfumer la peau.

24. Pour chasser la mauvaise odeur de la transpiration.

25. Pour oindre le corps après le bain.

26. Pour donner une odeur agréable à l'haleine.

27. Drogues et charmes pour fasciner, dominer et soumettre hommes et femmes.

28. Recettes pour donner à une femme les moyens de s'attirer et de conserver l'amour de son mari.

29. Collyres magiques pour gagner amour et amitié.

30. Prescriptions pour se soumettre autrui.
31. Pilules à philtres, et autres charmes.
32. Encens ou fumigation pour fasciner.
33. Vers magiques qui ont le pouvoir de fasciner.

Des cent trente recettes appliquées à ces sujets, un bon nombre sont absurdes, mais pas plus peut-être qu'une foule de recettes et de prescriptions usitées en Europe, il n'y a pas encore longtemps. Philtres d'amour, charmes et remèdes végétaux ont eu, jadis, autant de vogue en Europe qu'en Asie, et certainement ils ont encore des croyants en beaucoup d'endroits.

Et maintenant, un mot sur l'auteur de l'Ouvrage, le bon vieux sage Vatsyayana. Il est fort regrettable qu'on ne puisse rien découvrir sur sa vie, ses relations et son époque. A la fin de la VIIe Partie, il déclare qu'il a écrit son livre " alors qu'il menait la vie d'un étudiant religieux " (probablement à Bénarès) " et qu'il était totalement absorbé dans la contemplation de la Divinité ". Il devait être arrivé déjà à un certain âge, car il nous donne partout le bénéfice de son expérience et de ses observations, qui portent le cachet de l'âge plutôt que de la jeunesse ; nous aurions, vraiment, peine à croire que ce livre ait pu être écrit par un jeune homme.

Dans un beau verset des Védas des Chrétiens, il est dit de ceux qui meurent en paix, qu'ils se reposent de leurs travaux, mais que leurs travaux les suivent. Oui, certes, les œuvres des hommes de génie les suivent, et subsistent comme un trésor durable. Et, si discutée et controversée que puisse être l'immortalité de l'âme, personne ne contestera l'immortalité du génie, qui, pareil à une étoile lumineuse, continue à guider dans leurs efforts les générations successives. Cet Ouvrage, qui a subi l'épreuve des siècles, a donc placé Vatsyayana au nombre des immortels ; et du Livre comme de l'Auteur il ne saurait être de plus bel éloge que dans les vers suivants :

So long as lips shall kiss, and eyes shall see,
So long lives This, and This gives life to Thee.

Aussi longtemps que baiseront les lèvres, et que
                                    [verront les yeux,
Aussi longtemps vivra Ceci, et Ceci Te fera vivre.

TABLE DES MATIÈRES

DEUXIÈME PARTIE

De l'union sexuelle

TROISIÈME PARTIE

De l'acquisition d'une épouse

QUATRIÈME PARTIE

De l'épouse

SIXIÈME PARTIE

Des courtisanes

SEPTIÈME PARTIE

Des moyens de s'attacher les autres